SILVIA BÜRKLE widmet sich mit großer Leidenschaft ihrer Arbeit und hat die Gabe, komplexe Zusammenhänge leicht verständlich, unterhaltsam und ergänzt um viele praktische Beispiele zu vermitteln.
Sie ist Diplom-Ingenieurin für Ernährungstechnik mit Schwerpunkt Diätetik. Gemeinsam mit dem Ernährungsmediziner Dr. med. Wolf Funfack entwickelte sie das weltweit bekannte Stoffwechselprogramm Metabolic Balance®. Sie war viele Jahre in der Produktentwicklung und Qualitätssicherung in der Lebensmittelindustrie tätig. Heute begeistert sie als Dozentin Ernährungsberater in der Ausbildung und wird regelmäßig als Referentin in Heilpraktiker- und allgemeinbildenden Schulen angefragt. Sie ist Autorin mehrerer erfolgreicher Bücher rund um das Thema gesunde Ernährung. Bei Königsfurt-Urania erschienen bereits der Bestseller »**Heimliche Entzündungen**« sowie »**Heimliche Entzündungen – Das Kochbuch**« und »**Anti-Entzündungs-Booster**«. Silvia Bürkle lebt mit ihrer Familie in der Nähe von Ulm.

GISELA ZIEGLTRUM ist staatlich geprüfte Sportlehrerin. Ihre Leidenschaft gilt der Feldenkrais-Methode. Sie arbeitet in einem Gesundheitszentrum im Chiemgau, in einer Fachklinik für Psychosomatik und in eigener Praxis in Traunstein.
Die Feldenkrais-Spezialistin widmet sich seit Jahren dem Prozess der Wiederherstellung des menschlichen Bewegungspotenzials. Eigens für dieses Set entwickelte sie spezielle Übungen für gefährdete oder bereits entzündete Gelenke, die die Lebensqualität entscheidend steigern können.

DANKSAGUNG *Mein besonderer Dank geht an Dr. med. Ingrid Wilczek, die mich beim Schreiben in vielerlei Hinsicht geleitet, gefördert und beraten hat. Mein Dank gilt außerdem all meinen zahlreichen Schülern und Patienten, denen ich meine Expertise im Bereich der Herausforderung im Muskel- und Skelettsystem und allen psychischen und psychophysischen Begleiterscheinungen verdanke.*

Silvia Bürkle | Gisela Ziegltrum

HEIMLICHE ENTZÜNDUNGEN
SANFTE HILFE FÜR DIE GELENKE

Richtige Ernährung und Bewegung

Haftungsausschluss

Die in diesem Buch enthaltenen Informationen und Ratschläge wurden von den Autorinnen sorgfältig recherchiert und geprüft. Eine Garantie kann dennoch nicht übernommen werden. Die Informationen und Ratschläge sind außerdem nicht dazu gedacht, die Beratung durch einen Arzt oder Therapeuten zu ersetzen, sofern eine solche angezeigt ist. Eine Haftung der Autorinnen oder des Verlags ist ausgeschlossen.

Bibliographische Information der Deutschen Nationalbibliothek

Die Deutsche Nationalbibliothek verzeichnet diese Publikation in der Deutschen Nationalbibliographie; detaillierte bibliographische Daten sind im Internet über http://dnb.d-nb.de abrufbar.

Die Texte und Abbildungen in diesem Buch sind urheberrechtlich geschützt. Kein Teil dieses Buchs darf ohne schriftliche Genehmigung durch den Verlag reproduziert oder in irgendeiner Weise weiterverwendet werden; das gilt besonders auch für eine Verwendung im Internet. Ausgenommen sind kurze Zitate oder kleine Buchausschnitte innerhalb von Besprechungen dieses Buchs.

Originalausgabe
Krummwisch bei Kiel 2019
© 2019 by Königsfurt-Urania Verlag GmbH
D-24796 Krummwisch
www.koenigsfurt-urania.com

Umschlaggestaltung: grafikdesignhansen.de – Jan-Dirk Hansen, München,
unter Verwendung von Motiven von Adobe Stock: © jackfrog (U1)

Abbildungen: Alle Bilder von Adobe Stock: Seite 7 © losangela, Seite 9 © Daniel, Seite 12 © reineg, Seite 18 © Ushakov, Seite 20 © s_karau, Seite 23 © Ralph, Seite 25 © nesavinov, Seite 28 © makasana photo, Seite 30 © PhotoSG, Seite 33 © bit24, Seite 36 © chika_milan, Seite 39 © tanoy1412, Seite 42 © sveta_zarzamora, Seite 46 von oben nach unten © Miguel Garcia Saaved, © H. Brauer, © Tim UR, © alinamd, © Igor Syrbu, Seite 47 von oben nach unten © papzi, © Natika, © margo555, © Moving Moment, Seite 49 © tanaonte, Seite 51 © Leonid, Seite 52, 95, 120 © M.studio, Seite 55 © ArTo, Seite 57 © goodluz, Seite 60 © Sea Wave, Seite 63 © Jenifoto, Seite 65 © anaumenko, Seite 70 © Lena, Seite 77 © irinagrigorii, Seite 83 © naltik, Seite 86 © missmimimina, Seite 91 © nadianb, Seite 92 © Elisabeth Coelfen, Seite 98 © 5ph, Seite 103 © arysckin, Seite 106 © sarsmis, Seite 113 © Eva Gruendemann, Seite 117 © annapustynnikova, Seite 123 © Edalin, Seite 124 © Rozmarina

Illustrationen Karten: grafikdesignhansen.de – Jan-Dirk Hansen, München

Programm- und Projektleitung: Susanne Kirstein, München

Lektorat: Susanne Kirstein, München

Korrektur: Susanne Langer-Joffroy

Satz und Layout: grafikdesignhansen.de – Jan-Dirk Hansen, München

Druck und Bindung: Finidr s.r.o.
Printed in EU
ISBN 978-3-86826-179-0

🍎 DAS APFELSYMBOL

HINWEIS: Das Apfelsymbol 🍎 hinter den Rezeptzutaten ab Seite 58 kennzeichnet die Lebensmittel mit besonders hoher entzündungshemmender Wirkung.

INHALT

SCHMERZ LASS NACH! — 6
Eine gute Entscheidung — 6
Die gesündeste Medizin – individuell essen und sich regelmäßig bewegen — 6

HEIMLICHE ENTZÜNDUNGEN – VOLKSKRANKHEIT NR. 1? — 8
Wenn das Immunsystem verrückt spielt — 8
Entzündungen sind Teil des Heilungsprozesses — 9
Akut oder chronisch? — 10

WENN DAS IMMUNSYSTEM DIE GELENKE ANGREIFT — 11
Der rheumatische Formenkreis — 11
Arthrose – zweiter Name »Gelenkverschleiß« — 13
Rheumatoide Arthritis – Schmerzen im Gelenk — 14
Gicht – der Stoffwechsel ist krank — 16

ENTZÜNDUNGEN – DER KÖRPER WEHRT SICH — 17
Entzündungen – das Frühwarnsystem — 17
Das Immunsystem – pausenlos im Einsatz — 18
Die Akteure des Immunsystems — 19
Zytokine – Zündfunken und Dirigenten — 22

WIDERSTANDSFÄHIG MIT GESUNDEM ESSEN — 24
Richtig essen – die ideale Grundlage — 24
Kohlenhydrate ja – aber die richtigen! — 25
Fette – Unterstützung für die Abwehrkräfte — 29
Proteine – Power für Immunsystem, Muskeln und Knorpel — 32
Antientzündlich – Mineralstoffe und Vitamine — 38
Gewürze und Kräuter – das i-Tüpfelchen der antientzündlichen Ernährung — 41

AUF EINEN BLICK – DIE ENTZÜNDUNGSHEMMER — 46

IMMUNKRAFT STÄRKEN, RISIKEN REDUZIEREN — 48
Gesundheit beginnt im Darm — 48
Ran an den »Bauchspeck« — 49
Fasten für gesunde Gelenke — 52
Stress vermeiden – Entspannung fördern — 53
Schlaf – der Booster fürs Immunsystem — 56
Zur Ruhe kommen und üben — 56

REZEPTE MIT ENTZÜNDUNGSSCHUTZ — 57

SACH- UND REZEPTREGISTER — 126

SCHMERZ LASS NACH!

Wir leben heute deutlich länger als unsere Vorfahren, können aus einer enormen Vielfalt an Lebensmitteln auswählen und unsere medizinische Versorgung ist besser denn je. Trotzdem schwächelt unsere Gesundheit und wir werden immer kränker.
Woran mag das liegen?

Neben Diabetes, Herz-Kreislauf-Erkrankungen, Bluthochdruck und Arteriosklerose sind es vor allem die chronisch entzündlichen Gelenkerkrankungen, wie z. B. Rheuma, Arthritis oder Arthrose, deren Verbreitung kontinuierlich zunimmt. Schätzungen zufolge sind über 20 Millionen Menschen in Deutschland betroffen und der Schmerz ist ein ständiger Begleiter bei jeder Bewegung.

Eine gute Entscheidung

Sie haben sich für dieses Buch- und Karten-Set entschieden, weil Sie vielleicht selbst betroffen sind. Vielleicht kennen Sie auch jemanden, der sich tagtäglich mit Gelenkschmerzen quält, oder Sie haben einfach aus Interesse nach diesem Thema gegriffen. In jedem Fall haben Sie eine gute Entscheidung getroffen. Wir möchten Ihnen fundierte und praktische Anregungen, Übungen und Rezeptideen anbieten, die Ihnen guttun und Sie begleiten sollen auf dem Weg, wieder zu mehr Beweglichkeit zu finden. Auch vorbeugend oder sogar dann, wenn Sie sich ohnehin schon fit und beweglich fühlen, können Ihnen dieser Ratgeber und die beiliegenden Übungskarten wertvolle Begleiter sein, damit Sie sich auch in vielen Jahren noch wohlfühlen.

Die gesündeste Medizin – individuell essen und sich regelmäßig bewegen

Entzündete Gelenke sind sehr schmerzhaft und können die Beweglichkeit einschränken. Das beeinflusst die Lebensqualität ganz erheblich. Häufig werden die Schmerzen dann schnell mit Medikamenten betäubt mit dem Wunsch nach schneller Linderung.

Je bunter, desto besser: Entzündungsschutz pur bieten viele natürliche Lebensmittel.

Doch häufig wird völlig außer Acht gelassen, dass die Natur viel nachhaltiger helfen kann. Viele natürlichen Lebensmittel wie z. B. Kräuter, Gewürze, Gemüse oder hochwertige pflanzliche Öle, innerlich und/oder äußerlich angewandt, sind Entzündungshemmer schlechthin. Sie können chronische Entzündungen und Schmerzen ebenso wirksam lindern wie chemische Medikamente – allerdings nachhaltig und ohne Nebenwirkungen!

In diesem Set finden Sie wertvolles Hintergrundwissen rund um das Thema heimliche Entzündungen und was Sie gezielt und vorbeugend tun können, um gesund zu bleiben oder zu werden. Unsere Übungen für mehr Beweglichkeit sind ein Angebot, das Sie ohne Hilfsmittel und in einem überschaubaren zeitlichen Aufwand ganz einfach bei sich zu Hause durchführen können. Mit unseren umfangreichen Rezeptideen finden Sie einen leichten Einstieg in eine antientzündliche, leckere und genussvolle Ernährung. Mit diesem Erfolgsprogramm können Sie den Grundstein legen für mehr Wohlbefinden, größere Beweglichkeit und hohe Lebensqualität.

Bleiben Sie gesund und in Bewegung!

Ihre
Silvia Bürkle und Gisela Ziegltrum

HEIMLICHE ENTZÜNDUNGEN – VOLKSKRANKHEIT NR. 1?

Was haben Gelenkschmerzen, rheumatische Erkrankungen, Arthritis, Fettstoffwechselstörungen, Übergewicht oder Darmerkrankungen gemeinsam? Es liegen Entzündungen zugrunde, die möglicherweise bereits lange vor Ausbruch der Krankheit im Körperinneren langsam und unbemerkt vor sich hin brodelten.

Doch warum entzünden sich Gelenke? Und warum sind sie oft so hartnäckig und langandauernd? Es gibt viele Erklärungsversuche, die Ursachen für entzündliche, rheumatische Krankheiten aufzuspüren. So werden Umweltfaktoren (wie z. B. Infektionen, Rauchen oder Umweltverschmutzung) oder hormonelle Prozesse ebenso ins Feld gezogen wie ungesunde Ernährung und mangelnde Bewegung. Das ist sicherlich alles richtig, denn der Körper ist ein komplexes System, eine Art Uhrwerk, in dem ein Rädchen in das andere greift und sobald eines kaputt geht, alles aus dem Takt gerät. Das hat dann Auswirkungen auf alle nachfolgenden Prozesse.

Wenn das Immunsystem verrückt spielt

Doch die Ursachenforschung geht weiter. Heute geht man davon aus, dass es sich bei entzündlichen Gelenkerkrankungen zumeist um chronisch verlaufende Fehlsteuerungen des Immunsystems, um sogenannte heimliche oder chronische Entzündungen handelt. Das Immunsystem spielt also in gewisser Weise verrückt. Warum das so ist, ist in vielen Punkten noch nicht restlos erforscht. Tatsache ist, dass die Körperabwehr von zahlreichen Parametern beeinflusst, unterstützt oder ausgebremst wird, und es gibt viele Auslöser für heimliche, stille Entzündungsherde im Körper. Daher ist es nicht ganz einfach, einen Schuldigen zu finden, der als alleiniger Auslöser verantwortlich gemacht werden kann. Doch wir können viel tun im Kampf gegen den Schmerz.

Kontinuierlicher Nachschub über das Essen ist lebensnotwendig

Immunsystem und Stoffwechsel arbeiten seit Millionen von Jahren nach dem gleichen Regelwerk, auf der Basis von 47 lebensnotwendigen und nicht ersetzbaren Nährstoffen. Darunter sind 33 Mikronährstoffe, also Vitamine, Mineralien, Spurenelemente, acht Aminosäuren sowie Omega-3- und Omega-6-Fettsäuren. Das ist deshalb so erwähnenswert, weil unser Körper auf keine einzige dieser Verbindungen verzichten kann. Stoffwechsel und Körperabwehr sind auf diese lebensnotwendigen Nährstoffe angewiesen, sie sind essenziell.

Sie beeinflussen, wie wir uns fühlen, wie leistungsfähig wir sind und wie gut wir Infekte abwehren können. Wir nehmen diese lebensnotwendigen Stoffe über das Essen auf. Es erstaunt daher also nicht, dass eine Vielzahl der heute weitverbreiteten Erkrankungen als ernährungsbedingt eingestuft wird. Nur wenn die Nährstoffe zur richtigen Zeit am richtigen Ort und in exakt benötigter Menge vorhanden sind, ist der Körper optimal versorgt.

Da diese biochemischen Verbindungen laufend verbraucht und ausgeschieden werden, müssen wir sie kontinuierlich zuführen. Eine unregelmäßige oder mangelhafte Zufuhr über die Nahrung schwächt die Zellen. In der Folge sinken Widerstands- und Leistungsfähigkeit.

Entzündungen sind Teil des Heilungsprozesses

Grundsätzlich sind Entzündungsprozesse zunächst Teil eines ganz normalen Heilungsprozesses. Sie sind also eigentlich ein gutes Zeichen. Der Körper ist in der Lage, zu regenerieren und zu heilen. Gleichzeitig können Entzündungen aber auch die Basis

Faultiere riskieren, dass sich heimliche Entzündungen ausbreiten können.

vieler Zivilisationskrankheiten sein. Chronische Entzündungsprozesse spielen bei so gut wie jeder Erkrankung mit, ob es sich um Allergien, rheumatische Erkrankungen, Arthrose, Gicht, Arteriosklerose, Adipositas oder Diabetes handelt.

Akut oder chronisch?

Grundsätzlich unterscheidet man zwischen akuten und chronischen Entzündungen.

Während die akute Entzündung meist notwendiger Teil des Heilungsprozesses ist und sich durch die Ernährung nur wenig beeinflussen lässt, kann man bei chronischen Entzündungsprozessen aktiv gegensteuern. Häufig bewirken eine Änderung des Lebensstils und eine Ernährungsumstellung bereits wahre Wunder. Und es ist immens wichtig, Entzündungsherde im Körper restlos zu beruhigen und damit die Schmerzen in den Griff zu bekommen. Denn halten sie länger an, können sie sich zu chronischen Entzündungen ausweiten. Sie belasten nicht nur Körper und Immunsystem, sondern schädigen auf Dauer auch Organe und Gewebe – mit verheerenden Folgen.

Schmerzen sind keine Frage des Alters

Entzündungen an Organen oder Blutgefäßen können die Versorgung mit Sauerstoff und Nährstoffen beeinträchtigen. Dadurch lässt die Leistung der betroffenen Organe und umliegender Organstrukturen nach. Daher spüren wir die Gelenkschmerzen oft nicht nur dort, sondern auch Muskeln, Knochen, Bindegewebe oder Sehnen in der Nachbarschaft sind entzündet und werden angegriffen. Der Schmerz dehnt sich aus.

Sich nur noch mit Mühe und unter Schmerzen bewegen zu können, sich kraftlos zu fühlen oder gar in der Nacht vor Schmerzen aufzuwachen, mindert die Lebensqualität der Betroffenen oft erheblich. Wenn man der Statistik trauen darf, sind etwa 20 Prozent aller Deutschen von unterschiedlichen Formen von entzündlichen Gelenkerkrankungen betroffen. Erschreckend ist, dass nicht nur ältere Menschen darunter leiden, sondern zunehmend auch Kinder, Jugendliche und junge Erwachsene.

Ganz entscheidende Einflussfaktoren für die Entstehung von Entzündungen sind eine unausgewogene Ernährung sowie Übergewicht. Doch auch Bewegungsmangel und chronischer Stress können diese Entzündungen anheizen.

In den folgenden Kapiteln erfahren Sie, wie Sie effektiv gegensteuern können – jeden Tag ein wenig mehr!

WENN DAS IMMUNSYSTEM DIE GELENKE ANGREIFT

Schmerzen im Knie, in Hüfte, Finger- oder Zehengelenken können Symptome von unterschiedlichen Erkrankungen sein. Meist sind Entzündungen die Verursacher der Beschwerden, die durch Fehlsteuerung und Entgleisung des Immunsystems verursacht werden.

Bereits in der Spätantike kannte man schmerzhafte Gelenkerkrankungen, die wir heute mit den Begriffen »Arthrose«, »Arthritis« und »Rheuma« bezeichnen. Die Beschwerden werden heute auch unter dem sogenannten »rheumatischen Formenkreis« zusammengefasst.

Der rheumatische Formenkreis

Obwohl sie zu einem Überbegriff zusammengefasst werden, handelt es sich doch um unterschiedliche Gelenkerkrankungen mit verschiedenen Ursachen. Meist denken wir bei Rheuma oder Gelenkschmerzen zunächst an geschwollene und schmerzende Fingergelenke. Doch hinter den Erkrankungen des rheumatischen Formenkreises verbergen sich mehr als 400 Krankheiten des Bewegungsapparats. Und nicht nur das Gelenk bzw. der Bewegungsapparat, sondern auch Muskeln, Knochen, Bindegewebe oder Sehnen können rheumatisch erkrankt sein. Sogar alle Organe können von entzündlich-rheumatischen Erkrankungen betroffen sein – auch Niere, Herz, Lunge oder Blutgefäße. Deshalb wird Rheuma auch häufig als die »Krankheit mit vielen Gesichtern« bezeichnet. Gemeinsam ist bei allen ein ziehender, reißender oder stechender Schmerz. So vielfältig wie die Beschwerden sind auch die Ursachen. So können die Auslöser z. B. Abnutzung und Verschleiß von Gelenken, Sehnen und Bändern sein, oder die Fehlsteuerung des Immunsystems (Autoimmunerkrankung), aber auch Infektionen sind hier zu nennen.

GELENKE ERHÖHEN DIE BEWEGLICHKEIT

Anatomisch betrachtet ist ein Gelenk eine bewegliche Stelle, an der zwei Knochenenden zusammenspielen. Es besteht aus Knochen, Gelenkkapsel, Gelenkspalt, Gelenkinnenhaut, Gelenkschmiere und Knorpel. Innenhaut, Schmiere und Knorpel gleichen Unebenheiten der Gelenkflächen aus, können Stöße auffangen und abdämpfen. Aufeinandertreffende Knochenenden bleiben durch einen Spalt getrennt. Die Beweglichkeit eines Gelenks hängt von der Form der aufeinandertreffenden Gelenkflächen ab. Diese sind von einem gallertartigen Knorpel überzogen. Eine Gelenkkapsel hüllt die Knochenenden ein. Festigkeit der Kapsel und Stärke der Gelenkbänder spielen eine Rolle für Beweglichkeit und Stabilität.

DER KNORPEL SCHÜTZT DEN KNOCHEN Er sorgt für eine gleitfähige Oberfläche zwischen Gelenkkopf und -pfanne. Seine Druckelastizität dient als Stoßdämpfer. Er kann Kräfte abpuffern, die mehr als dem 5- bis 7-fachen des Körpergewichts entsprechen. Der Verlust des Gelenkknorpels bedeutet auch Verschlechterung der Gleitfähigkeit der Gelenkflächen.

BEDEUTUNG DER GELENKSCHMIERE Sie erhöht die Gleitfähigkeit aller Gelenkanteile. Sie enthält große Mengen Hyaluronsäure. Zusätzlich fördert sie die Knorpelernährung und trägt zur Funktionsfähigkeit der Gelenke bei.

ENTZÜNDUNGEN BEEINTRÄCHTIGEN DIE FUNKTION Ein entzündetes Gelenk ist geschwollen, es schmerzt, es ist übererwärmt und gerötet. Die Beweglichkeit ist eingeschränkt.

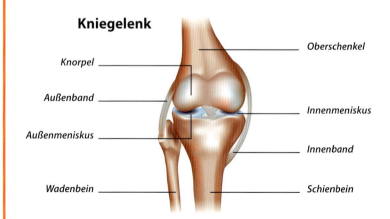

So entzündet sich das Gelenk

Mediziner gehen heute davon aus, dass es sich bei rheumatischen Erkrankungen um eine Autoimmunerkrankung handelt. Das Immunsystem richtet sich also gegen Zellen des eigenen Körpers, z. B. wird die Gelenkinnenhaut angegriffen. In der Folge entstehen schmerzhafte Entzündungen. Dabei gelangen Partikel der Gelenkinnenhaut in die Gelenkspalten hinein. Es werden vermehrt Abwehrkräfte vom Immunsystem mobilisiert, wodurch Knorpel und angrenzende Knochen geschädigt werden können. Außerdem leidet die Beweglichkeit der Gelenke. Das Immunsystem, das den Körper eigentlich vor fremden Eindringlingen wie Bakterien und Viren schützen soll, reagiert »falsch« und schießt über das Ziel hinaus.

Warum es überhaupt zu solchen entzündlichen Prozessen kommt, ist noch nicht vollständig erforscht. Vieles liegt noch im Dunkeln, doch es wird darüber diskutiert, inwieweit eine erbliche Veranlagung eine Rolle spielt. Auch Infektionen oder die langfristige Einnahme von Medikamenten, die der Darmflora schaden und damit das Immunsystem schwächen, könnten Auslöser für Gelenkentzündungen sein.

Arthrose – zweiter Name »Gelenkverschleiß«

Schmerzhafte und steife Gelenke sind die typischen Merkmale einer Arthrose. Sie ist eine der häufigsten Gelenkerkrankungen in Deutschland und betrifft meist Finger, Zehen, Knie und Hüfte. Die Gelenke verändern sich und nehmen großen Schaden an. Dabei wird der Knorpel, der die Knochenenden wie eine Schutzschicht überzieht, langsam aber kontinuierlich abgebaut. Auch die Gelenkflüssigkeit, die sogenannte »Gelenkschmiere«, verliert ihre stoßdämpfende und schmierende Wirkung.

Ursachen und Symptome

Im fortgeschrittenen Stadium einer Arthrose treffen die Knochenenden mit der Zeit zusammen, weil die Schutzschicht Knorpel teilweise nicht mehr da ist. Nun reiben die Knochen direkt gegeneinander. Das verursacht starke Schmerzen, die sich typischerweise zunächst als Anlaufschmerz oder unter Belastung zeigen, später dann auch in Ruhe auftreten. Schwellungen und Bewegungseinschränkungen treten spätestens jetzt auf, manchmal schon in einem früheren Stadium.

Neben einer familiären Disposition, einem fortgeschrittenen Alter oder einer Gelenkfehlstellung können auch andere Ursachen verantwortlich sein für diese degenerativen Veränderungen. Als gesichert gilt, dass eine dauerhafte Überbelastung der Gelenke einen derartigen Gelenk- bzw. Knorpelverschleiß begünstigt. Extremer Hochleistungssport über viele Jahre hinweg, schwere körperliche Arbeit sowie starke Belastung durch zu hohes Körpergewicht führen zum vorzeitigen Verschleiß.

Übergewicht schadet bei entzündeten, schmerzhaften Gelenken im Übrigen gleich doppelt: Durch die hohe Körperlast wird nicht nur der Knorpelabbau beschleunigt. Im Körperfett werden außerdem entzündungsfördernde Stoffe produziert, die ebenfalls am Abbau des Knorpels beteiligt sind. Ein gesundes Körpergewicht kann also helfen, der Entwicklung einer Arthrose vorzubeugen und ihr Fortschreiten zu verlangsamen.

Die nächste Schlüsselrolle im Kampf gegen Arthrose spielt mangelnde körperliche Bewegung. Regelmäßig aktiv zu sein, ist ausnahmslos wichtig, denn das erhält Ihre Mobilität. Die reibungslose Wechselwirkung von Be- und Entlastung in den Gelenken sorgt dafür, dass die Gelenkflüssigkeit in den Knorpel einmassiert wird. Sie versorgt die Gelenke mit notwendigen Nährstoffen, wie z. B. Kalzium, Kalium oder Magnesium.

In den beiliegenden Bewegungskarten bekommen Sie Anregungen und Anleitungen, Bewegungsmangel und Fehlbelastung zu beheben. Sie werden ermutigt, dass auch ein kleiner Bewegungsumfang, bewusst ausgeführt, zum Erfolg führen kann. Sie bekommen Anleitungen, wie Sie Ihre Vorstellungskraft erweitern und verbessern können. Die Übungen eignen sich besonders gut für Menschen mit Arthrose und jeglicher Gelenk- und Bewegungsdisposition und sind einfach und leicht durchzuführen.

Rheumatoide Arthritis – Schmerzen im Gelenk

Die rheumatoide Arthritis ist eine chronische, d. h. mehr als sechs Wochen anhaltende Gelenkentzündung. Bekannt ist die rheumatoide Arthritis auch unter dem Namen »chronische Polyarthritis« (poly = viel; Arthritis = Gelenkentzündung), denn häufig sind mehrere Gelenke gleichzeitig von einer Entzündung betroffen.

Ursachen und Symptome

Bei der chronischen Polyarthritis wird die Gelenkinnenhaut durch das körpereigene Immunsystem angegriffen. Dabei werden Abwehrzellen mobilisiert, die anstelle krank machender Keime irrtümlich körpereigenes Gewebe, im Speziellen die Gelenkinnenhaut, attackieren.

Gelenkschwellungen und -schmerzen in den betroffenen Regionen sowie eingeschränkte Beweglichkeit sind typische Krankheitszeichen der rheumatoiden Arthritis. Auffällig ist, dass die Schmerzen häufig in Ruhe, insbesondere in der Nacht, auftreten. Ebenso charakteristisch ist, dass die verminderte Beweglichkeit besonders am Morgen auftritt und als sogenannte »Morgensteife« benannt wird.

Abgrenzung zur Arthrose

Die Morgensteifigkeit kann häufig länger als eine Stunde andauern, tritt aber später im Laufe des Tages, auch nach Ruhepausen, nicht wieder auf. Hierin unterscheidet sich die rheumatoide Arthritis von der Arthrose. Denn bei fortgeschrittener Arthrose sind die Gelenkschmerzen vorwiegend belastungs- und bewegungsabhängig und können auch in Ruhephasen immer wieder auftreten.

Auch hier ist die Diskussion noch recht hitzig, wenn es um die Suche nach den Krankheitsursachen geht. Während die eine Seite der Forscher darauf pocht, dass die Vererbung eine maßgebliche Rolle spielt, vertritt der andere Teil die These, dass der allgemein ungesunde Lebensstil, eine einseitige Ernährung sowie ein kranker, geschwächter Darm ursächlich an Entzündungen beteiligt sind. Eine mikrobielle Fehlbesiedelung im Darm durch Pilze, Salmonellen oder Campylobacter pylori kann Gelenkentzündungen verursachen, ebenso eine stark geschädigte Darmschleimhaut (Leaky-Gut-Syndrom). Bei solch einer »undichten« Darmwand können nämlich Mikroorganismen, Bakterien und andere unerwünschte Stoffe in den Körper aufgenommen werden und das Immunsystem stark herausfordern. Doch die Körperabwehr ist wegen der zerstörten Darmzellen ohnehin geschwächt, denn 70 Prozent der Immunzellen sind im Darm zu Hause. Eine ernstzunehmende Schieflage. Außerdem können bestimmte Viren mögliche Verursacher für Gelenkentzündungen sein.

Gestützt wird die letztgenannte Theorie, dass die Schmerzen und Bewegungseinschränkungen mit ausgewogener Ernährung, einem hohen Anteil an entzündungshemmenden Lebensmitteln sowie schonenden, den eigenen Möglichkeiten angepassten Bewegungen wirksam gelindert werden können. Viele Anregungen zur praktischen Umsetzung finden Sie konkret in diesem Buch, im Rezeptteil ab Seite 58 sowie mit den Bewegungsübungen auf den beiliegenden Karten.

Gicht – der Stoffwechsel ist krank

Gicht ist eine Stoffwechselerkrankung, bei der sich die Gelenke stark entzünden können. Im Körper sammelt sich zu viel Harnsäure an, die sich ablagert und zu Entzündungen führen kann. Gicht war früher eine Erkrankung der wohlhabenden Leute. Durch zunehmenden Wohlstand und ungünstige Ernährungsweise ist sie heute in allen Bevölkerungsschichten verbreitet.

Ursachen und Symptome

Gicht ist eine Störung des Purinstoffwechsels. Purine sind Bestandteile der Zellkerne. Sie werden vom Körper selbst gebildet oder über die Nahrung zugeführt. Im Stoffwechsel werden sie zu Harnsäure abgebaut und über die Niere und den Stuhl ausgeschieden.

Bei Gichtkranken ist in der Regel die Ausscheidung der Harnsäure gestört. Die Säure sammelt sich im Blut an und kann auskristallisieren. Die Kristalle lagern sich in Gelenken, teilweise auch in den Nieren, ab. Bei der »Gichtarthritis« schwellen Gelenke an – bevorzugt am großen Zeh – und sind extrem berührungsempfindlich. Auf Dauer kann es zu Schäden an Knorpel und Knochen kommen, und die Beweglichkeit wird stark eingeschränkt.

Die Ernährung

Von allen entzündlich-rheumatischen Erkrankungen lässt sich die Gicht am besten über die Ernährung beeinflussen. In zahlreichen Studien konnte eindeutig gezeigt werden, dass Fleisch, Meeresfrüchte, Bier, Spirituosen und Übergewicht die Risikofaktoren schlechthin für Hyperurikämie (erhöhte Harnsäurewerte) und Gicht sind. Wohl die wichtigste Erkenntnis ist aber, dass auch fruktosehaltiges Essen und insbesondere mit Fruktose gesüßte Limonaden die Harnsäure und das Gichtrisiko erhöhen.

BEACHTE Entgegen veralteter Ernährungsempfehlungen erhöht eine purinreiche pflanzliche Ernährungsweise nicht das Gichtrisiko. Insbesondere Nüsse, Hülsenfrüchte, Spinat, Spargel, Pilze oder Haferflocken sind zwar purinreich, liefern aber ausreichend Faserstoffe, Vitamine und Mineralien. Vor allem die basischen Mineralstoffe unterstützen die Nieren, indem sie schädliche Säuren in Salze umwandeln. Diese Salze können leichter ausgeschieden werden, was das Gichtrisiko verringert.

ENTZÜNDUNGEN – DER KÖRPER WEHRT SICH

Das Immunsystem arbeitet rund um die Uhr, ohne Pause. Und das ist lebensnotwendig. Denn wir sind täglich – bewusst oder unbewusst – zahlreichen »Angriffen« ausgesetzt. Bakterien, Viren und Pilze lauern überall: in der U-Bahn, im Theater, im Wartezimmer, in der Kita. Auch über das Essen nehmen wir Krankheitserreger auf, die das Immunsystem permanent herausfordern.

Mit diesen für das bloße Auge unsichtbaren Mikroorganismen kommen wir auf unterschiedlichste Weise in Berührung. Gelangen sie ins Körperinnere, können sie uns Probleme bereiten. Dann schlägt das Immunsystem Alarm und wehrt sich gegen die unerwünschten Eindringlinge. Setzen sie sich irgendwo fest, können Entzündungen entstehen, die häufig mit typischen Symptomen einhergehen: Schmerz, Schwellung, starke Wärme, Rötung sowie Funktionsstörung. Doch das muss nicht immer so sein. Entzündungen können heimlich und unbemerkt im Körperinneren entstehen und brodeln, ohne dass sich die klassischen Entzündungszeichen bemerkbar machen. Und trotzdem kämpft der Körper gegen etwas an und versucht, die zunächst kleinen, unterschwelligen Entzündungsherde in Schach zu halten. Wir fühlen uns energielos, müde oder kämpfen gegen häufig wiederkehrende Infekte wie Erkältung oder Fieber. Unser Organismus ist geschwächt und die Immunabwehr funktioniert nicht mehr einwandfrei.

Entzündungen – das Frühwarnsystem

Eigentlich sind Entzündungen per se nichts Schlimmes, ganz im Gegenteil. Sie sind sogar eine Art Frühwarnsystem, das unseren Körper schützt. Entzündungen kurbeln das Immunsystem mächtig an und versetzen es in Alarmbereitschaft.

Der Wechsel von Saunahitze und anschließender Abkühlung fördert die Durchblutung, bringt den Kreislauf in Schwung und ist eine Art Fitnesstraining fürs Immunsystem.

Wenn Akutes chronisch wird

Akute Entzündungen klingen in der Regel nach wenigen Tagen ab. Bleibt die Ursache für die Störung jedoch bestehen, kann die Entzündung nicht abklingen und ausheilen. Sie bleibt also bestehen und verhält sich wie ein Feuer nach einem gelöschten Waldbrand: Kleinere Entzündungsherde glimmen unbemerkt weiter, quasi unter der Oberfläche. Sie sind also immer präsent und schon ein kleiner Windstoß, ein kleiner Auslöser, könnte den großen Brand, die größere Entzündung, wieder aufflackern lassen. Das Immunsystem ist immer in Alarmbereitschaft und steht jederzeit mit der gesamten Truppe an Abwehrkräften bereit. Gelingt es nicht, auch den Schwelbrand zu löschen, die Entzündung also vollständig auszuheilen, kann sich daraus über einen längeren Zeitraum eine chronische Entzündung entwickeln, die das Immunsystem und den gesamten Organismus stark belasten und schwächen kann.

Das Immunsystem – pausenlos im Einsatz

Bakterien, Viren und Pilze kennen keine Tageszeit, kein Wochenende und keinen Urlaub. Das Immunsystem hat die hochkomplexe Aufgabe, gefährliche Krankheitserreger abzuwehren. Und wir sind ständig von Milliarden von Bakterien umgeben. Nicht alle Mikroorganismen sind gefährlich, manche sind sogar nützlich für uns.

Dem Immunsystem wird eine beachtliche Leistung abverlangt, denn es muss aus der Vielfalt von Bakterien erkennen, wer Freund und wer Feind ist. Wahrscheinlich ist das auch der Grund, warum das gesamte Abwehrsystem aus Milliarden von Zellen besteht, die extrem eng, quasi »Hand in Hand«, zusammenarbeiten. Alle Abwehrzellen kooperieren fein aufeinander abgestimmt, um Fremdkörper, Bakterien, Viren und andere unliebsame Eindringlinge aufzuspüren und zu vernichten. In jeder Sekunde kämpfen Milliarden von Immunzellen im menschlichen Körper gegen Angriffe von Mikroorganismen. Manche Abwehrzellen, Botenstoffe und Organe des Immunsystems werden quasi als »Killerkommando«, als sogenannte Fress- oder Killerzellen, eingesetzt, die solo oder im Alleingang die Gefahr aus dem Weg räumen.

Die Akteure des Immunsystems

Die einzelnen Zellen des Immunsystems befinden sich im ganzen Körper – Milz, Thymus, Knochenmarkgewebe, Lymphknoten und Mandeln sind die Organe der Körperabwehr. Zusätzlich wird das Immunsystem auch von außen unterstützt. Haut und Schleimhäute halten in erster Instanz die gröbsten Angriffe von außen ab. Auch die Magensäure und der Darm sind wichtige Barrieren und Abwehrspezialisten im Kampf gegen ungebetene Gäste.

Unser Immunsystem ist eng mit dem Nervensystem und dessen Botenstoffen sowie den Hormonen vernetzt. Sobald sich diese drei großen Körpersysteme nicht mehr in Balance befinden, wird die Körperabwehr schwach und wir werden anfälliger für Krankheiten und Beschwerden.

Weitere Akteure

Neben den immunwirksamen Organen stehen dem Körper zwei weitere Verteidigungssysteme zur Verfügung – die sogenannte unspezifische Abwehr und die spezifische Abwehr. Jeder Mensch besitzt eine angeborene Immunabwehr, die das Neugeborenen vom ersten Tag an schützt. Durch den Kontakt mit der Außenwelt wird sie schließlich kontinuierlich trainiert.

DIE UNSPEZIFISCHE ABWEHR wird jedem Neugeborenen mitgegeben. Sie kann sich bereits ab dem ersten Lebenstag gegen eine ganze Reihe von Fremdkörpern zur Wehr setzen. Jedoch nicht gegen alle. Dafür braucht es die spezifische Abwehr.

DIE SPEZIFISCHE ABWEHR dagegen muss erst lernen, gegen wen und wie »Krieg« geführt werden soll. Das Besondere an diesem System ist, dass es die im Laufe des Lebens gewonnenen Informationen abspeichern kann. Kommt es erneut zum Kontakt beispielsweise mit einem bestimmten Virus, erinnert sich die spezifische Abwehr an den Erstkontakt und kann den Eindringling nun in kürzester Zeit unschädlich machen. Sie ist das Gedächtnis des Immunsystems, das demnach ein Leben lang lernt.

Die unspezifische Abwehr

Die Akteure der unspezifischen Abwehr übernehmen den ersten Einsatz. Alles Fremde, Unbekannte, wird verfolgt und angegriffen. Sie wehren Viren und Bakterien ab, hemmen Entzündungen und zerstören beschädigte und befallene Zellen. Dies geschieht alles unter der Regie der weißen Blutkörperchen (Leukozyten) und einer Untergruppe der Phagozyten (Fresszellen), die die Eindringlinge nicht nur zerstören, sondern auch Informationen über diese sammeln. Diese Infos werden dann an die Zellen der spezifischen Abwehr übermittelt.

Dabei kann es vorkommen, dass sich Fresszellen mehr als nötig in ihre Arbeit hineinsteigern und eigentlich harmlose Gräserpollen oder Lebensmittel als gefährlich einstufen und diese bekämpfen. Daraus können sich dann Allergien entwickeln. Allergien sind eine überschießende, nicht angemessene Reaktion des Immunsystems auf Stoffe aus der Umwelt.

Meist unterschätzt – wer sich Ruhepausen gönnt, stärkt das Immunsystem.

Die spezifische Abwehr

Bei der spezifischen Abwehr übernehmen Immunglobuline (Eiweißstoffe, auch Antikörper genannt) und Lymphozyten die Chefrolle. Man unterscheidet zwei Typen von Lymphozyten, die B-Lymphozyten und die T-Lymphozyten. Sie werden an verschiedenen Orten gebildet, übernehmen vielfältige Aufgaben und sehen unterschiedlich aus. Lymphozyten werden von Immunglobulinen unterstützt, die an den Fremdkörper andocken und diesen zerstören können. Erkennt der Körper eine Substanz als fremd, bildet er spezifische Antikörper. Diese Antikörper können sich nun immer mit den bekannten Antigenen verbinden und behindern so die Aktivität der Eindringlinge.

Körperabwehr auf Autopilot

Das Immunsystem muss aber noch bedeutend mehr leisten. Es wehrt nicht nur Angriffe von außen ab, sondern muss auch ebenso sorgfältig darauf achten, nicht das körpereigene Gewebe zu verletzen, indem es Körperzellen irrtümlich für Eindringlinge hält und grundlos bekämpft. Sollte es zu solch einer Fehlsteuerung kommen, spricht man von »Autoimmunprozessen«, wie z. B. bei einer rheumatoiden Arthritis.

Der Lebensstil entscheidet über gesund oder krank

Da das Immunsystem rund um die Uhr Höchstleistung erbringen muss, muss alles dafür getan werden, dass es stark bleibt und effektiv wirken kann. Das Schöne dabei ist, dass wir mit unserem Lebensstil einen ganz entscheidenden Beitrag dazu leisten können: Gesunde Ernährung, moderate Bewegung und regelmäßige Entspannung sind die drei Hauptpfeiler zur Unterstützung der Körperabwehr.

Wobei die Ernährung dabei einen ganz entscheidenden Einfluss hat. Nicht nur die Qualität und Zusammensetzung unserer Nahrung, sondern auch der Mahlzeitenrhythmus spielen eine erhebliche Rolle. Man weiß heute, dass fehlende Essenspausen und viele kleine Naschereien zwischendurch die Körperabwehr schwächen. Snacking führt nachweislich zu einer Verminderung der Lymphozyten, der Abwehrchefs. Hier schnell mal ein Softdrink oder eine Limonade getrunken, dort eine Bratwurst oder eine Pizza verschlungen und zwischendrin ein paar Süßigkeiten zum Kaffee genascht – der Körper muss zwangsläufig darauf reagieren: Die gesamte Stoffwechselmaschine sowie das Immunsystem sind permanent im Einsatz – ohne Pause wohlgemerkt!

Natürlich auch bei unzureichender Versorgung mit Vitaminen und Mineralstoffen sowie bei zu geringer Eiweißzufuhr ist der Körper im schlimmsten Fall nicht mehr in der Lage, ausreichend Abwehrstoffe zu bilden.

Zytokine – Zündfunken und Dirigenten

Auch wenn die Medizin bei der Suche nach den Ursachen für entzündliche Gelenkerkrankungen noch weitgehend im Dunkeln tappt, so weiß man immerhin, wer das Signal gibt und die Entzündung zum Brennen bringt. Der zündende Funken wird von den Zytokinen übermittelt. Es handelt sich dabei um eine Art Botenstoffe, die Informationen von einer Zelle des Immunsystems an eine andere Immunzelle übermittelt.

Zytokine sind also maßgeblich an Entzündungsprozessen beteiligt. Sie dirigieren und aktivieren die Immunakteure, um diese schnell und zielsicher zu ihrem Einsatzort zu leiten. Gleichzeitig wachen sie regulierend über die Immunabwehr, denn Zytokine entscheiden, wer wann in Aktion treten muss und wann der Rückzug aus dem Entzündungsgeschehen eingeleitet wird.

ZYTOKINE SCHÜTZEN VOR ENTZÜNDUNGEN

Es gibt zwei Gruppen von Zytokinen, Botenstoffen, die unterschiedlich ins Entzündungsgeschehen einwirken:

ENTZÜNDUNGSFÖRDERND TNF-alpha (Tumor-Nekrose-Faktor alpha) und Interleukin-6 (IL-6)

In gewissen Mengen können TNF-alpha und IL-6 das Immunsystem unterstützen, indem sie beim Eindringen eines Erregers die Immunzellen zum Infektionsort locken und gleichzeitig die Immunzellen aktivieren. Doch wenn zu viel TNF-alpha und IL-6 in der Blutbahn vorhanden sind, aufgrund vieler Fettzellen, lösen diese noch zusätzlich Entzündungen aus. Der Wirkungsmechanismus ist vergleichbar mit einer Schlaftablette. Eine Tablette kann für einen erholsamen Schlaf sorgen – viele Schlaftabletten auf einmal sind eine Gefahr für den Körper.

ENTZÜNDUNGSHEMMEND Interleukine L-10, Interleukine L-4 oder Interleukine L-11

Sie lassen Entzündungen schnell wieder abklingen, wenn die Krankheitserreger erfolgreich bekämpft wurden. Der Wirkmechanismus ist vergleichbar mit einer entzündungshemmenden Salbe, die man auf eine schmerzende Wunde aufträgt und somit den Schmerz lindert.

Wer zündelt, wer löscht?

Es gibt zwei Gruppen von Zytokinen: die einen fördern Entzündungen, die anderen beruhigen sie. Beide Gruppen wirken vergleichsweise wie Gaspedal und Bremse eines Autos. Mit dem Gaspedal beschleunigt man, und wenn man mit überhöhter Geschwindigkeit unterwegs ist, riskiert man eine Strafe. Mit der Bremse nimmt man die Geschwindigkeit heraus und reduziert die Unfallgefahr. Wenn das Immunsystem intakt ist, halten sich entzündungsfördernde (Gaspedal) und entzündungshemmende (Bremse) Zytokine die Waage. Fein ausbalanciert können die Entzündungsprozesse gesteuert und einzelne Entzündungsparameter unter Kontrolle gehalten werden. Studien zeigen, dass wir diesem Gas-und-Bremse-Mechanismus nicht hilflos ausgeliefert sind. Wir können viel tun, damit das Gleichgewicht im Immunsystem erhalten bleibt. Mit gesunder Lebensweise und vitamin- und mineralstoffreicher Ernährung profitiert die Körperabwehr und sie halten die Zytokine in Schach. Stress dagegen blockiert die entzündungshemmenden Botenstoffe.

Auch ein gesunder Darm sowie regelmäßige Bewegung spielen entscheidend mit im Kampf gegen Entzündungen. Im Darm sitzen die Immunzellen, die Botenstoffe (Zytokine) bilden, um gegen Entzündungen schnell reagieren zu können.

Sport stellt für den Körper zunächst eine Belastung dar und setzt ihn eine Stresssituation. In Studien konnte gezeigt werden, dass selbst bei moderatem Sport Immunzellen aktiv werden. Mit Beginn des Trainings kommt es zur Ausschüttung der Stresshormone Adrenalin und Noradrenalin. Gleichzeitig steigen entzündungsfördernde Zytokine (IL-6) an. Mit Trainingsende und Sinken der Stresshormone reduziert sich jedoch IL-6 drastisch und entzündungshemmende Zytokine steigen an. Vermutlich halten sie sich in Balance.

Zytokine, Botenstoffe des Immunsystems, sind wie Zündfunken für Entzündungen.

WIDERSTANDSFÄHIG MIT GESUNDEM ESSEN

»Lasst die Nahrung Eure Medizin sein«, so lautet ein Zitat von Hippokrates, dem griechischen und wohl bekanntesten Arzt des Altertums. Bereits vor weit über 2000 Jahren erkannte er, wie immens wichtig die Nahrung für einen widerstandsfähigen Körper und eine stabile Gesundheit ist.

Tatsächlich reicht die Wirkung unserer Nahrung weit über die reine Sättigung hinaus. Doch das hat sich scheinbar noch nicht überall herumgesprochen. Die Menschen sehen Lebensmittel und ihre Wirkung auf den Körper aus verschiedenen Blickwinkeln. Während die einen die Fette als Bösewichte sehen und aus ihrer Ernährung weitestgehend verbannen, sehen andere wiederum das Kalorienzählen als das Maß aller Dinge. Sie denken, es sei ausreichend, einfach nur die Gesamtzahl der aufgenommenen Kalorien im Blick zu behalten. Dabei sind 100 Kilokalorien nicht gleich 100 Kilokalorien. Die Kalorien eines Apfels verhalten sich nämlich total anders als 100 Kilokalorien eines Stück Kuchens. Während der Apfel nicht nur Energie liefert, kann er zusätzlich mit seiner Vielzahl an Nährstoffen wie z. B. den Polyphenolen punkten. Diese Pflanzenschutzstoffe nähren und schützen nicht nur die Zellen, sondern entfalten eine entzündungshemmende Wirkung. Der Kuchen dagegen kann neben Energie lediglich mit Zucker und Fett punkten – Letztere können auf Dauer die gefürchteten Gelenkentzündungen sogar noch beschleunigen.

Richtig essen – die ideale Grundlage

In diesem Punkt sind sich Mediziner und Ernährungswissenschaftler einig: Die Ernährung beeinflusst entzündliche Prozesse im Körper. Schaut man ins Detail, erkennt man, dass es bestimmte Lebensmittel und Nährstoffe gibt, die die Ausbreitung von Entzündungen gezielt blockieren können. Und andersherum: Ungünstige Lebensmittelkombinationen oder Überernährung können schmerzenden Entzündungen den idealen Nährboden bieten. Dann können sich Gelenkentzündungen ungehemmt ausbreiten und großen Schaden anrichten. Die Körperabwehr ist der Flut an Schadstoffen nicht gewachsen, denn notwendige Nährstoffe für ein intaktes Immunsystem fehlen. Es ist lebensnotwendig: Der Körper benötigt für ein abwehrstarkes System alle Nährstoffe, sowohl Makronährstoffe (Kohlenhydrate, Fette und Eiweiß), als auch Mikronährstoffe (Vitamine, Mineralstoffe und sekundäre Pflanzenstoffe) in einem ausgeglichenen Verhältnis und bester Qualität.

Für einen flachen Bauch sorgt eher Pasta aus Vollkorn statt aus Hartweizengrieß.

Kohlenhydrate ja – aber die richtigen!

Kohlenhydratreiche Lebensmittel versorgen den Körper mit Energie. Verständlich, dass sie, zusammen mit Getränken, meist den Hauptanteil unserer Nahrung ausmachen. Doch es ist wichtig, darauf zu achten, welche Kohlenhydrate wir zu uns nehmen. Gesunde Kohlenhydrate stecken in Vollkornprodukten (Brot, Nudeln, Reis), Hülsenfrüchten, Gemüse und Obst. Sie haben einen hohen Faser- und Ballaststoffgehalt, sind sättigend und sorgen für einen gesunden Darm. Ungesunde Kohlenhydrate dagegen sind Zucker, Produkte aus Weißmehl, Süßwaren, Süßigkeiten und Zuckeraustauschstoffe. Sie tragen bei übermäßigem Genuss auf Dauer zum Übergewicht bei und begünstigen, dass sich Fettpolster vermehrt im Bauchraum ansiedeln.

Machen Kohlenhydrate dick?

Nach einer kohlenhydratreichen Mahlzeit gelangen die kleinsten Bausteine der Kohlenhydrate, die Glukosemoleküle, ins Blut. Der Blutzuckerspiegel steigt schnell und mit ihm auch der Insulinspiegel. Das Insulin sorgt dafür, dass Glukose auf dem schnellsten Weg in die Zellen transportiert werden kann. Dort wird sie in aufwendigen biochemischen Reaktionen zu Energie verbrannt.

Doch wenn der Körper in dem Moment gar keine zusätzliche Energie braucht, dann werden die Glukosebausteine direkt in Fett umgewandelt, unsere Fettdepots werden gefüllt. Diese Reserven waren für unsere Vorfahren in Zeiten der knappen Nahrungsaufnahme überlebenswichtig. Doch heute verfügen wir in der Regel über ausreichend Nahrung und Hungersnöte kennen wir in unseren Breiten nicht mehr. So stellt dieses Überangebot an Kohlenhydraten auf Dauer eine große gesundheitliche Belastung dar.

Denn insbesondere das Körperfett, das sich in der Bauchregion festsetzt, ist extrem hormonaktiv und produziert in hohem Maße Botenstoffe, die Entzündungsgeschehen begünstigen.

Gesunde Darmbakterien mögen keinen Zucker

Übermäßiger Zuckerkonsum in Form von Kuchen, Süßigkeiten, Glukosesirup oder weißem bzw. braunem Zucker lässt ungünstige Darmbakterien besonders gut wachsen. Denn Zucker ist deren »Leibspeise« – sie ernähren sich äußerst gerne von Glukose und vermehren sich rasch. Leider zu Lasten der Darmbakterien, die für den Erhalt unserer Gesundheit eine große Rolle spielen. Ein Ungleichgewicht in der Lebensgemeinschaft der Darmbakterien kann jedoch dazu beitragen, dass Entzündungen im Darm entstehen. Das Immunsystem versucht nun, diese Entzündungen zu bekämpfen. Kommt immer weiter Nachschub an Zucker, können Entzündungsherde nur schwer ausheilen und die Körperabwehr wird massiv geschwächt.

Doch damit noch nicht genug. Der Darm selbst ist ein wesentlicher Teil des Immunsystems. Ist er entzündet, kann er das Immunsystem nicht mehr ausreichend unterstützen. Außerdem kann ein geschwächter Darm weniger Verdauungsenzyme bilden. Weiten sich Entzündungen im Darm aus, kann die Darmwand porös bzw. durchlässig werden. So können über eine sonst dichte und intakte Darmschleimhaut vermehrt Schadstoffe aufgenommen werden. Sie gelangen in die Blutbahn, sodass die Abwehrkräfte erneut in Alarmbereitschaft versetzt werden. Die Körperabwehr wird zusätzlich geschwächt.

Wie viel Zucker darf es sein?

Muss man nun auf jeglichen Zucker verzichten? Nein, sicherlich nicht! Schließlich werden ja alle Kohlenhydrate, auch die gesunden, zum kleinsten Baustein Glukose abgebaut. Doch die ballaststoff- und faserreichen, kohlenhydrathaltigen Lebensmittel werden sehr viel langsamer verstoffwechselt. Blutzuckergehalt und Insulin steigen nur moderat – damit kommt der Körper deutlich besser zurecht, als wenn die Kurven rapide und steil ansteigen, wie es bei Zucker und Weißmehlprodukten der Fall ist.

Übrigens benötigt das Gehirn eine gewisse Menge an Zucker, um leistungsfähig zu bleiben. Daher gibt es in der Natur reichlich Lebensmittel mit natürlichem Zuckergehalt. Die Dosis macht das Gift! Laut Empfehlung der Weltgesundheitsorganisation (WHO) können etwa bis zu 5% der täglichen Energiezufuhr in Form von Zucker aufgenommen werden. Bei einer Energieaufnahme von 2000 Kalorien entspricht das ca. 25 g Zucker und Fruchtzucker pro Tag.

Diese Menge Zucker liefern…

- 1 Becher Fruchtjoghurt
- ½ Tafel dunkle Schokolade
- 1 kleinere Banane
- 1 mittelgroßer Apfel
- 500 g frische Beeren

AMYLASE-TRYPSIN-INHIBITOREN (ATI)

Das ist eine Gruppe von Proteinen, die vorwiegend in glutenhaltigem Getreide wie z. B. Weizen, Roggen, Hafer, Gerste, Dinkel, Kamut, Einkorn oder Emmer vorkommen. Diese Verbindungen schützen zunächst die Pflanzen vor Schädlingen und hemmen den Eiweißabbau im Getreidekorn. Doch im menschlichen Organismus können Amylase-Trypsin-Inhibitoren entzündliche Reaktionen im Darm auslösen.

EMPFEHLUNG FÜR DIESE KOHLENHYDRATE Glutenfreie Alternativen zu Getreide sind Amaranth, Quinoa, Hirse, Buchweizen und Teff; Naturreis; Kartoffeln und Kartoffelmehl; Nuss- und Mandelmehle

KEINE EMPFEHLUNG FÜR DIESE KOHLENHYDRATE Getreide wie Weizen, Roggen, Gerste, Dinkel, Kamut, Einkorn oder Emmer und daraus hergestellte Produkte (in großen Mengen); Raffinadezucker (weißer und brauner Haushaltszucker); Fruchtzucker; Sirup jeder Art (wie z. B. Glukose-, Fruktose-, Weizen- oder Maissirup)

Weizen fördert Gelenk- und Darmentzündungen

Neben süßem Zucker wird auch Getreide, insbesondere Weizen und daraus hergestellte Produkte, in der entzündungshemmenden Ernährung eher als problematisch angesehen. Nicht nur der hohe Kohlenhydratanteil ist der Grund. Weizen wird auch deshalb kritisiert, weil der Rohstoff oft stark behandelt ist und wertvolle Inhaltsstoffe wie Ballaststoffe, Vitamine und Mineralstoffe im Endprodukt, in den Backwaren, meist nicht mehr enthalten sind. Das macht Getreide für uns sehr viel schwerer verdaulich. Die wertvollen Vitamine und zahlreiche Mineralstoffe, die natürlicherweise in den Schalenanteilen stecken, werden durch die Verarbeitung entfernt. Dabei brauchen wir sie, um die Verdauungsenzyme zur Aufspaltung von Kohlenhydraten zu bilden.

Doch damit noch nicht genug. Viele Getreidesorten enthalten Eiweißstoffe, wie z. B. Gluten (Klebereiweiß) oder eine Verbindung namens Amylase-Trypsin-Inhibitor, die bei ständigem und reichlichem Verzehr Darm bzw. Darmbakterien schädigen. Diese Eiweißverbindungen aktivieren Immunzellen im Darm, sodass diese kontinuierlich Entzündungsstoffe ausschütten.

Über Weizen wird heiß diskutiert – leider zählt er nicht gerade zu den Entzündungshemmern.

Fette – Unterstützung für die Abwehrkräfte

Leider galt Fett jahrzehntelang als Feind Nr. 1, da es uns angeblich dick mache und weil es teilweise zu Unrecht für viele gesundheitliche Probleme verantwortlich gemacht wurde.

Bei entzündlichen Gelenkerkrankungen kommt dem Makronährstoff Fett eine bedeutende Rolle zu. Als energiereichster Nährstoff liefert Fett pro Gramm 9 kcal (zum Vergleich: 1 g Kohlenhydrate oder Eiweiß liefert 4 kcal). Beim Kalorienzählen ist es vollkommen egal, welches Fett aufgenommen wird. Auch »gutes« Fett liefert viel Energie. Und zu allem Überfluss speichert unser Körper das Fett, das wir zu viel aufnehmen, auch noch als Depot für magere Zeiten. Trotzdem gibt es keinen Grund, sich vor Fett zu fürchten. Ganz im Gegenteil!

Wissenschaftler haben längst erforscht, dass Fette und Öle sehr positive Wirkungen auf unsere Gesundheit haben. Verständlich, denn keine Körperzelle, kein Organ und keine Gewebeform in unserem Organismus kann ohne die lebensnotwendigen, essenziellen Fettsäuren auskommen. Fett ist also erst einmal lebensnotwendig.

Von guten und schlechten Fetten

Aus diesem Grund sollte eine Gewichtsreduktion niemals auf Kosten und durch Einsparen des Nährstoffs Fett durchgeführt werden. Denn Fett hat neben den bereits erwähnten Vorteilen auch die phantastische Eigenschaft, Heißhunger zu reduzieren. Ja, Sie haben richtig gelesen! Ein höherer Fettanteil in der Ernährung bringt ein besseres Sättigungsgefühl und kann auch gleichzeitig das Immunsystem stärken.

Schauen wir differenzierter: Welches Fett oder Öl sollte man wählen? Das ist wichtig zu unterscheiden, denn einige Fettbausteine können Entzündungen fördern, andere dagegen können sie hemmen und sogar löschen.

ENTZÜNDUNGSHEMMENDE FETTSÄUREN sind insbesondere die Omega-3-Fettsäuren. Als ideale Lieferanten dieser gesunden, mehrfach ungesättigten Fettsäuren bieten sich vor allem hochwertige, kalt gepresste pflanzliche Öle wie Leinöl, Leindotteröl, Hanföl, Walnussöl oder Rapsöl an. Auch Seefische mit ihrem hohen Gehalt an aktiven Omega-3-Fettsäuren sollten häufiger den Speiseplan bereichern. In vielen Studien konnte bislang gezeigt werden, dass Omega-3-Fettsäuren bei Entzündungen und rheumatischen Beschwerden positive Wirkung entfalten, da die Bildung von entzündungs-

fördernden Stoffen reduziert werden kann. Fettsäuren aus Kokosöl, wie z. B. Laurin- oder Buttersäure, kräftigen die Dickdarmschleimhaut, wirken antibakteriell und können das Immunsystem stärken.

ENTZÜNDUNGSFÖRDERNDE FETTSÄUREN wie z. B. die Arachidonsäure, eine mehrfach ungesättigte Fettsäure, nimmt eine zentrale Stellung im Entzündungsgeschehen ein. Sie ist Ausgangssubstanz vieler Stoffwechselreaktionen, die Entzündungen entfachen können.

Kokosöl mit seiner feinen exotischen Note kann vor Entzündungen schützen.

Arachidonsäure macht Schmerzen

Bei entzündlichen Gelenkerkrankungen sollte die Aufnahme von Arachidonsäure, einer bestimmten Fettsäure, begrenzt werden. Ein niedriger Arachidonsäurespiegel bedeutet: weniger Entzündungen und weniger Schmerzen. Mit der richtigen Auswahl an Lebensmitteln, individuell angepasster Bewegung und einem gesunden Körpergewicht kann die Höhe des Arachidonsäurespiegels gut gesteuert werden.

REICH AN ARACHIDONSÄURE sind vor allem tierische Produkte wie Fleisch, Käse, Eier, Milch und Milchprodukte. Auch Omega-6-reiche Pflanzenöle wie z. B. Sonnenblumen- oder Distelöl, können jedoch den Arachidonsäurespiegel erhöhen.

Vorsicht vor bestimmten Pflanzenölen

Omega-6-reiche Pflanzenöle, wie z. B. Sonnenblumen-, Distel-, Kürbiskern-, Maiskeim- oder Weizenkeimöl, sind mit Bedacht zu dosieren. Denn sie bilden die Ausgangssubstanz für Arachidonsäure, die Entzündungen anheizt. Daher lautet die Empfehlung führender Ernährungsinstitute, dass wir mit der täglichen Ernährung optimalerweise die Omega-3- und Omega-6-Fettsäuren im Verhältnis 1:5 aufnehmen sollten. 3 EL kalt gepresste pflanzliche Öle, wie z. B. Lein-, Hanf- oder Rapsöl sowie 1 Handvoll Walnüsse oder Pinienkerne täglich sorgen für ausreichend Omega-3-Fettsäuren. Damit können Entzündungsschmerzen spürbar gelindert werden.

So reduzieren Sie Schmerzen

Eine der wichtigsten Ernährungsempfehlungen lautet, den Gehalt an Arachidonsäure im Blick zu behalten. Regelmäßige Fastenzeiten sowie eine gesunde Gewichtsabnahme sind übrigens Joker im Kampf gegen Entzündungen. Sie lassen die Arachidonsäurekonzentration rapide abfallen. Der Grund für diesen schmerzlindernden Effekt ist, dass beim Fasten und Abnehmen weniger Eicosanoide gebildet werden. Das sind Verbindungen, die im Stoffwechsel u. a. aus Arachidonsäure entstehen und extrem entzündungsfördernd wirken.

Das triggert Entzündungen

Ungünstig für Gelenke & Co. ist eine Ernährung, die reichlich gesättigte Fettsäuren liefert. Fleisch, Wurst, Speck, auch Backwaren und Schokolade enthalten sie in großen Mengen und sollten in einer entzündungshemmenden Ernährung nur in Maßen und ab und zu verzehrt werden.

FETTREICHE LEBENSMITTEL

Empfehlenswerte Lebensmittel

- Pflanzliche kalt gepresste Öle, z. B. Leinöl, Leindotteröl, Hanföl, Walnussöl, Rapsöl, Olivenöl, Schwarzkümmelöl
- Nüsse
- Seefische, z. B. Lachs, Hering, Thunfisch, Makrele usw.
- Fleisch und Wurstwaren

Diese Lebensmittel nur in Maßen genießen

- Margarine
- Frittierte Speisen
- Sahnesaucen
- Fetthaltige Snacks wie z. B. Chips, Cracker
- Backwaren (Blätterteig, Fertigkuchen)
- Süßigkeiten (Schokolade und Riegel)

Ähnlich ungünstig sind sogenannte Transfette, die durch starkes Erhitzen bei der industriellen Verarbeitung von ungesättigten Fetten entstehen. Man spricht hier auch von »gehärteten Fetten«. Sehr reich an Transfettsäuren sind z. B. Pommes frites, Margarine oder Backwaren wie Croissants & Co. Transfettsäuren und gesättigte Fettsäuren werden in die Zellwände eingelagert und lassen sie starr und unflexibel werden. Das hat zur Folge, dass der Nährstofftransport in die Zelle erschwert wird und auch Stoffwechselendprodukte, die in der Zelle beim Ab- und Umbau in den Zellen entstehen, können nur schlecht abtransportiert werden. Außerdem wirken sich Transfettsäuren und ungesättigte Fettsäuren negativ auf die Blutfettwerte aus, heizen Entzündungsprozesse an und machen Zellen unempfindlich für Insulin. Wie hängt das zusammen? Nun: Auf der Oberfläche gesunder Zellen befinden sich ca. 20.000 Insulinrezeptoren. Wenn sich nun die Zellwände durch die Einlagerung der Transfettsäuren verändern, reduziert sich die Anzahl der Insulinrezeptoren auf ca. 5000. Das Insulin findet also nicht mehr genügend Rezeptoren, sogenannte »Türöffner«, an denen es andocken kann. Die Zellen werden also unempfindlich für Insulin, und es kann weniger Glukose zur Energiegewinnung in die Zelle geschleust werden. Die Glukose, die nun nicht mehr in die Zellen gelangen kann, wird stattdessen in Fett (Triglyceride) umgebaut und im Fettgewebe gespeichert. Ständig erhöhte Triglyceride im Blut können ein Hinweis auf eine beginnende Insulinresistenz sein.

Proteine – Power für Immunsystem, Muskeln und Knorpel

Eiweiß hat lange Zeit ein Mauerblümchendasein gefristet. Eiweiß war früher nur etwas für Muskelprotze oder die, die es gerne werden wollten. Doch das gehört längst der Vergangenheit an. Heute weiß man, dass Proteine nicht nur Muckis machen, also Baustoffe für die Muskeln sind, sondern dass sie auch verantwortlich sind für die Struktur der Zellen und als Baustoffe für alle Organe und das Blut dienen. Außerdem initiieren sie als Bestandteile von Enzymen und Hormonen unterschiedlichste chemische Reaktionen, die für den reibungslosen Ablauf aller Körperfunktionen unerlässlich sind.

Obwohl Proteine eine zentrale Rolle im menschlichen Körper spielen, liegt der Tagesbedarf im Durchschnitt bei nur 0,8 Gramm pro Kilogramm Körpergewicht für die Frau und 1 Gramm pro Kilogramm Körpergewicht für den Mann, wie führende Ernährungsinstitute ermittelt haben.

Hülsenfrüchte tragen zur ausreichenden Versorgung mit wertvollem Eiweiß bei.

So bauen wir Körperstrukturen auf

Jedes Eiweiß, das im Körper aufgebaut wird – egal ob als Enzym, Hormon oder Haar, als Nerv oder Muskel – benötigt einen individuellen Bausatz. Das bedeutet, dass jedes körpereigene Eiweiß nach einem ganz bestimmten Bauplan zusammengesetzt wird. Aus insgesamt 21 verschiedenen Aminosäuren werden alle unsere Körperstrukturen und Verbindungen wie Enzyme oder Hormone gebaut. Nicht alle dieser 21 Aminosäuren kann der Körper selbst herstellen, acht davon müssen wir über die Nahrung aufnehmen. Das ist aber in der Regel kein Problem, da diese essenziellen Eiweißbausteinchen in eiweißhaltigen tierischen (Fisch, Fleisch, Eier, Milch und Milchprodukten) und pflanzlichen Lebensmitteln (Sprossen, Hülsenfrüchte, Nüsse oder Keimlingen) reichlich enthalten sind.

Das liefert unser Essen

Jedes Nahrungseiweiß, ob tierischer oder pflanzlicher Herkunft, liefert eine andere Mischung an Aminosäuren. Damit wir daraus körpereigene Strukturen aufbauen können, müssen alle acht essenziellen Aminosäuren in ausreichender Menge vorhanden sein. Die restlichen Aminosäuren können wir selbst bauen. Fehlt eine dieser essenziellen Aminosäuren, können wir das gesamte Eiweiß aus Käse oder Fleisch nicht richtig

> **BIOLOGISCHE WERTIGKEIT**
>
> Je besser die Verteilung der acht essenziellen Aminosäuren in einem Lebensmittel oder einer Mahlzeit ist, desto höher ist die »biologische Wertigkeit«. Eine hohe biologische Wertigkeit bedeutet, dass wir mehr körpereigenes Eiweiß aufbauen können und einer Übersäuerung entgegenwirken. Eine sehr gute biologische Wertigkeit hat der Eiweißgehalt beispielsweise im Erdbeerjoghurt mit Walnüssen (siehe Seite 67) oder im Gemüseauflauf mit Feta (siehe Seite 108).

verwerten. Gleichzeitig wird der Körper über tierische Lebensmittel mit einer Vielzahl von Säuren überflutet. Eiweißreiche Lebensmittel wirken nämlich oft säurebildend im Körper. Essen wir zwar eiweißreich, aber letzten Endes fehlen die essenziellen Aminosäuren, läuft die Eiweißverdauung nicht optimal. Es häufen sich Säuren im Binde- und Fettgewebe, die wir nicht schnell genug abpuffern können. Das kann zur Übersäuerung des Körpers beitragen. Müdigkeit, Nervosität, allgemeines Unwohlsein, Muskel- und Gelenkbeschwerden, Entzündungen bis hin zu Bluthochdruck, Schlaganfall oder Herzinfarkt können die Folge sein.

Was hat Eiweiß mit dem Immunsystem zu tun?

Für ein intaktes Immunsystem ist Eiweiß so wichtig wie der Sauerstoff zum Atmen. Nur wenn der Körper ausreichend mit Eiweiß versorgt ist, kann die Körperabwehr optimal arbeiten. Wir haben einen erhöhten Eiweißbedarf, wenn Krankheiten uns das Leben schwer machen. Bereits nach einer einwöchigen Grippe wurde die Hälfte der Immunzellen abgebaut.

Kollagen – Eiweiß für die »innere Schönheit«

Kollagen ist ein sogenanntes Strukturprotein und kommt überall im Körper vor. Viele Menschen bringen diesen Begriff in Verbindung mit straffem Bindegewebe, Faltenfreiheit und ewiger Jugend. Dabei ist das nur die halbe Wahrheit, denn Kollagen ist auch Stützgewebe und so Bestandteil in Knochen, Knorpeln, Sehnen, in der Haut, den Zähnen, Organen, im Darm und im Lymphgewebe.

Kollagen verleiht Zellen und Gewebe ihre Festigkeit und lässt sie trotzdem flexibel bleiben. Ohne Kollagen wird nicht nur die Haut schlaffer und die Falten nehmen zu, auch Knorpel verlieren an Substanz, Sehnen und Bänder werden verletzungsanfälliger.

Kollagenfasern setzen sich aus mehreren Hundert Aminosäurebausteinchen zusammen. Der Körper kann Kollagen selbst bauen, sofern er die nötigen Aminosäu-

REZEPT

Selbst gemachte Brühe für gesunde Gelenke

2 rote Zwiebeln
2 Karotten
½ Sellerieknolle
Frische Kräuter (Thymian, Rosmarin, Petersilie)

1 kg Rinderknochen
4 EL Bio-Apfelessig
Gewürze (4 Nelken, 8 Pfefferkörner, 2 Lorbeerblätter)
Salz, Pfeffer

1 Zwiebeln schälen und würfeln. Karotten und Sellerie waschen, putzen und in Würfel schneiden. Kräuter waschen, trocken schütteln und fein hacken.

2 Die Knochen in einem großen Topf ohne Fett 1 – 2 Minuten von allen Seiten scharf anbraten, dann mit Wasser aufgießen, sodass die Knochen gut bedeckt sind. Pro Kilogramm Knochen rechnet man 3 Liter Wasser. 2 EL Apfelessig und die Gewürze zur gleichen Zeit dazugeben und alles zum Kochen bringen.

3 Bei geschlossenem Deckel und kleinster Hitzezufuhr die Knochen 3–4 Stunden leicht köcheln lassen.

4 Eine halbe Stunde vor Ende der Garzeit das klein geschnittene Gemüse, die gehackten Kräuter und den restlichen Apfelessig dazugeben. Nach Ende der Kochzeit die Brühe etwas abkühlen lassen.

- Die Brühe kann pur getrunken werden oder als Grundlage für Suppen und Saucen dienen.
- Zur Aufbewahrung die Brühe lauwarm in saubere, gut schließende Schraubgläser abfüllen. So können Sie die Brühe im Kühlschrank bis zu 4 Wochen aufbewahren.
- In eine Eiswürfelform füllen und einfrieren. So können Sie sie später gut portionieren und als Suppenwürfel verwenden.
- Das Fett, das sich beim Erkalten der Brühe oben absetzt, kann abgeschöpft und getrennt zum Kochen und Braten verwendet werden.

Die Eigenproduktion von Kollagen nimmt im Laufe des Lebens ab – kleine, sympathische Fältchen bilden sich.

ren zur Verfügung hat. Allerdings muss man berücksichtigen, dass die Eigenproduktion im Alter nachlässt (deswegen wird die Haut im Laufe des Lebens faltiger). Es gibt leider nicht viele Lebensmittel, über die wir Kollagen aufnehmen können.

Hartnäckig hält sich das Gerücht, dass Gummibärchen, die sich zu 80 Prozent aus Kollagen (Gelatine) zusammensetzen, günstig für den Erhalt der Knorpelmasse sein könnten. Um jedoch den Tagesbedarf an Kollagen von ca. 15 g zu decken, müsste man mindestens 400 g (= 2 Beutel) Gummibärchen täglich verspeisen. Na, ob das mit einer gesunder Ernährungsweise vereinbar ist? Schließlich ist der Zuckergehalt von zwei Beuteln Gummibärchen schwindelerregend hoch.

Es gibt aber eine gesündere Alternative – eine Knochenbrühe, die bereits unsere Großmütter für gesunde Gelenke gekocht haben. Hier wird Kollagen aus den Knochen ausgekocht. Dabei entsteht eine mineralstoffreiche und leckere Brühe (s. Rezept S. 35).

Glutathion – entgiftet und stärkt das Immunsystem

Glutathion setzt sich aus drei Aminosäuren zusammen – Glutamin, Glycin und Cystein. Es ist besonders wichtig für ein starkes Immunsystem und spielt zur Vorbeugung oder Linderung von Entzündungen eine wichtige Rolle. Studien belegen, dass Menschen mit einem hohen Glutathionspiegel seltener an Arthritis, Herz-Kreislauf-Erkrankungen, Bluthochdruck oder Diabetes leiden. Ein niedriger Glutathionspiegel weist auf eine geschwächte Immunabwehr hin. Außerdem schützt Glutathion die Zellen vor Schäden durch freie Radikale und kann Schwermetalle wie Quecksilber oder Cadmium ausleiten. Beachte: Glutamin kann im Gegensatz zu den anderen beiden Bausteinchen Glycin und Cystein die Bildung von Glutathion erheblich ankurbeln.

GLUTATHIONLIEFERANTEN sind überwiegend Obst (Erdbeeren oder Grapefruit) und Gemüse (Tomaten, Brokkoli oder Weißkohl). Lebensmittel mit hohem Glutamingehalt (Ziegen- und Schafskäse, Fisch und Hülsenfrüchte) kurbeln die körpereigene Glutathionproduktion an.

Ernährungsempfehlungen zum Schutz vor Entzündungen

Sollten bereits Entzündungen im Körper bestehen, wenn Sie von schmerzenden Gelenken, Arthritis oder Rheuma betroffen sind, sollten Sie Ihren Eiweißbedarf vorwiegend über pflanzliche Nahrungsmittel decken. Hülsenfrüchte, Pilze, Nüsse, Sprossen, Amaranth und Quinoa sind sehr zu empfehlen. Außerdem enthalten diese Lebensmittel kaum Arachidonsäure, die bekanntlich Entzündungen fördert. Vorbeugend sind Seefische und mageres helles Fleisch (Geflügel), die 1- bis 2-mal pro Woche in Maßen genossen durchaus empfehlenswert sind.

EIWEISSLIEFERANTEN

Empfehlenswerte Lebensmittel

Nüsse, Pilze, Hülsenfrüchte, Sprossen, Keimlinge, Amaranth, Quinoa, Hirse, Buchweizen, Seefische, helles Fleisch (Geflügel)

Weniger empfehlenswerte Lebensmittel

Fleisch, Wurst, Kuhmilch und daraus hergestellte Produkte
BEACHTE Ziegen- oder Schafmilch ist dagegen empfehlenswert. Sie wird nicht (wie Kuhmilch) homogenisiert. Beim Homogenisieren werden Proteinketten z. T. auseinandergerissen. Manche dieser Bruchstücke werden im Magen und Darm nicht richtig aufgespalten. Sie verbleiben im Darm und können Gärungs- und Fäulnisprozesse verursachen.

Antientzündlich – Mineralstoffe und Vitamine

Eine gesunde und vitalstoffreiche Ernährung ist für jeden Menschen wichtig, doch ganz besonders dann, wenn das Wohlbefinden leidet, Schmerzen auftreten und die Beweglichkeit in den Gelenken nachlässt.

Eigentlich dürfte es doch gar nicht so schwer sein, sich gut zu ernähren. Die Natur liefert alles, was wir brauchen, um gesund zu leben. Alle lebensnotwendigen Vitalstoffe stecken in den Lebensmitteln, egal ob wir Gemüse, Kräuter, Obst, Nüsse, Hülsenfrüchte, Öle oder Fisch in ihrer natürlichen Form zubereiten und verzehren. Doch wie oft werden »Alibi-Lebensmittel« verzehrt. Sie fragen sich, warum »Alibi-Lebensmittel«? Nun, die Lebens- oder Nahrungsmittel, die uns die Industrie als so »gesund und vitalstoffreich« ans Herz legt, sind oftmals so stark verarbeitet, dass man nur am Bild auf der Packung errät, was sich in der Verpackung verbergen soll. Ich wähle absichtlich »verbergen«, denn Aussehen, Form, Farbe und Geruch haben meist mit den ursprünglichen Lebensmitteln nichts mehr gemeinsam.

So wichtig wie die Luft zum Atmen

In all unseren 90 Billionen Körperzellen laufen in jeder Sekunde viele Milliarden biochemische Reaktionen ab, die durch Vitamine, Mineralien und Spurenelemente erst ermöglicht und gleichzeitig beschleunigt werden.

Für jede Vitalfunktion braucht der Körper diese Verbindungen wie die Luft zum Atmen. Da der Mensch viele Vitalstoffe wie z. B. Vitamin E, Magnesium, Jod oder Zink nicht selbst herstellen kann, und weil wir die meisten

> **VITALSTOFFRÄUBER**
>
> Es gibt Stoffe, die wertvolle Vitamine, Mineralien und Spurenelemente abbauen oder verbrauchen. Das sind
> - Alkohol
> - Stress
> - Medikamente
> - Rauchen
>
> Wussten Sie, dass ein Raucher bei nur einem Zug an der Zigarette 1 Billiarde freie Radikale einatmet, die der Körper schnell unschädlich machen muss, um größere Zellschäden zu vermeiden? Dafür verbraucht er z. B. viel Vitamin C, bis zu 30 mg Vitamin C pro Zigarette. Das entspricht fast einem Drittel der empfohlenen Tagesdosis von 100 mg.

Vitalstoffe nicht speichern können, müssen wir sie jeden Tag aufs Neue mit der Nahrung aufnehmen. Doch das erweist sich für viele Menschen als schwierig, da sie sich nur ungern mit Gemüse, Kräutern, Keimlingen, Nüssen und Obst anfreunden möchten. Doch das sind die Top-Lieferanten an Vitalstoffen.

VITAMIN C Es ist am Aufbau von Kollagen und anderen Strukturgebern von Knorpeln, Sehnen, Bändern und Knochen beteiligt. Als sogenanntes Antioxidans soll es freie Radikale (vgl. auch Seite 41) unschädlich machen. So kann es vor Entzündungen und Gelenkschäden, z. B. bei Arthrose, schützen. Gute und natürliche Vitamin-C-Quellen finden Sie in der Übersicht auf der nächsten Seite.

Das Rauchverbot schützt Raucher und Mitraucher vor freien Radikalen, die Entzündungen begünstigen.

MAGNESIUM UND ZINK Die beiden Mineralien Magnesium und Zink sind wahre Entzündungshemmer: Ein hoher Magnesiumspiegel trägt dazu bei, dass Entzündungsstoffe wie z. B. TNF-alpha und Interleukin-6 (siehe Seite 22) reduziert werden. Zink dagegen ist aktiv an der Bildung von Abwehrzellen und Botenstoffen beteiligt, die das Immunsystem steuern.

Wichtig zu wissen: Alkohol spült Magnesium und Zink vermehrt über die Nieren aus, sodass die beiden Entzündungshemmer über den Urin verloren gehen.

Gute und natürliche Magnesium- und Zink-Quellen finden Sie in der Übersicht auf der nächsten Seite.

VITAMIN D Menschen mit entzündlichen Gelenkerkrankungen bewegen sich wegen der Schmerzen meist nur wenig und sind seltener im Freien aktiv. Dadurch sinkt nachweislich der Vitamin-D-Spiegel, denn das Sonnenvitamin benötigt für die körpereigene Synthese neben Cholesterin vor allem UV-Licht.

Vitamin D ist ein wichtiger Immunmodulator, der vor allem die Abwehrzellen aktiviert und die Aktivitäten des Immunsystems überwacht, damit es nicht versehentlich körpereigene Zellen bekämpft.

ENTZÜNDUNGSHEMMENDE VITALSTOFFE

VITAMIN	ENTHALTEN IN:
Vitamin C	Erdbeeren, Grapefruit, Kiwis, Mangos, Orangen, Papayas, Wassermelonen, Zitronen Brokkoli, Blumenkohl, grüne Paprika, Petersilie, Rosenkohl und Tomaten
Vitamin D	Fette Seefische (Hering, Lachs) Speisepilze (Austern- und Shiitakepilze) Avocados
Vitamin E	Lein-, Walnuss-, Olivenöl Lachs Haferflocken Mandeln, Sonnenblumenkerne grüne Bohnen, Paprika, Fenchel Kopfsalat
MINERALIEN	**ENTHALTEN IN:**
Magnesium	Amaranth, Quinoa, Hirse Vollkornreis Kürbis-, Sonnenblumenkerne, Mandeln Brennnessel, Portulak, Majoran, Spinat, Mangold, Löwenzahn
Zink	Haferflocken Linsen Sonnenblumenkerne, Paranüsse, Kürbiskerne
Selen	Paranüsse Kokosraspel, Sonnenblumenkerne Thunfisch, Kabeljau Geflügel

Sich häufig im Freien aufzuhalten ist deshalb so wichtig, weil wir über die Nahrung oftmals nicht ausreichend Vitamin D aufnehmen können. Dennoch gibt es ein paar Lebensmittel, die zur ausreichenden Versorgung beitragen können. Gute und natürliche Vitamin-D-Quellen finden Sie in oben stehender Übersicht.

VITAMIN E Bei Arthritis, Arthrose und anderen rheumatisch entzündlichen Erkrankungen hat sich das antioxidativ wirksame Vitamin E bewährt. Neben seiner antioxidativen Wirkung stärkt Vitamin E auch das Immunsystem und kann wirksam Entzündungen hemmen. Dabei blockiert es im Körper die Produktion entzündungsfördernder Stoffe. Gute und natürliche Vitamin-E-Quellen finden Sie in oben stehender Übersicht.

SELEN Es ist ein Spurenelement, das im menschlichen Organismus in allen Geweben und Organen in unterschiedlicher Konzentration benötigt wird. Selen aktiviert die natürlichen Killerzellen des Abwehrsystems und verhindert überschießende Immunreaktionen. Es kann wirksam Allergien, Entzündungen, Erkältungen oder rheumatischen Beschwerden vorbeugen.
Gute und natürliche Selenquellen finden Sie in nebenstehender Übersicht.

Gefahr durch freie Radikale

Bei Entzündungsprozessen werden vom Körper viele sogenannte freie Radikale aktiviert, die den Körper im Kampf gegen eindringende Krankheitserreger, Bakterien oder Keime unterstützen sollen. Doch wenn zu viel freie Radikale entstehen, werden sie zur Gefahr für den Körper, d. h. sie greifen dann nicht nur Krankheitskeime an, sondern auch körpereigene Zellen in den Organen. Das schwächt sie und vermindert deren Funktion und Leistungsfähigkeit. Selen ist Bestandteil eines Enzyms, das vor diesen Angriffen auf Zellen und damit vor Organschäden schützt.

Gewürze und Kräuter – das i-Tüpfelchen der antientzündlichen Ernährung

Gewürze und Kräuter werden zu Recht sehr häufig in der Naturheilkunde verwendet, um verschiedenste Erkrankungen zu lindern oder zu heilen. Sie enthalten eine Fülle an sogenannten sekundären Pflanzenstoffen, die auf vielerlei Weise die Gesundheit erhalten und das Immunsystem stärken.

So können Gewürze und Kräuter beispielsweise den Stoffwechsel anregen und die Fettverbrennung ankurbeln. Sie helfen beim Aufbau einer gesunden Darmflora, was für ein gesundes Immunsystem unabdingbar ist. Ebenso spielt ein intakter Darm eine wichtige Rolle für die Ausscheidung von Giftstoffen. Einige Gewürze können den Blutzucker positiv beeinflussen und haben entzündungshemmende Eigenschaften.

Schutzstoffe für Pflanze und Mensch

Gewürze und Kräuter enthalten sekundäre Pflanzenschutzstoffe in großer Konzentration. Als hoch wirksame Antioxidanzien weisen sie gefährliche freie Radikale in die

Die Entzündungshemmer Kurkuma und Ingwer dürfen in keiner Küche fehlen.

Schranken und entwaffnen sie. Das ist eine nicht zu unterschätzende Eigenschaft, denn freie Radikale können in den Zellen enormen Schaden anrichten, z. B. Entzündungen und Krankheiten verursachen oder das Altern beschleunigen.

Außerdem sind Gewürze und Kräuter reich an ätherischen Ölen, die jede Mahlzeit aufwerten, ohne zusätzlich Kalorien zu liefern. Sie geben den Speisen ein wunderbares Aroma und sorgen für gute Bekömmlichkeit. Gewürze und Kräuter wirken beruhigend oder wärmend, reinigend oder regenerierend. Kurkuma, Ingwer und Chili sowie Kräuter jeder Art gelten als besonders entzündungshemmend.

Kurkuma – die Allzweckwaffe gegen die Entzündungen?

Kurkuma und ihr Inhaltsstoff Curcumin haben eine wohltuende Wirkung auf Gelenke. Entzündungen sind meist Begleiterscheinungen von Arthrose. Laut Studien soll Curcumin die Bildung und Regeneration von Kollagen, einem Bestandteil der Gelenke, fördern (siehe Seite 34). Besonders bei Arthrose und Gelenkschmerzen ist es von Vorteil, die körpereigene Kollagensynthese zu aktivieren.

Außerdem kann Curcumin ein Enzym hemmen, das als Auslöser für Entzündungen bekannt ist. Dieses Enzym namens »Cyclooxygenase 2« wirkt genau an der Stelle, wo klassische Rheumamedikamente ansetzen. Gesünder ist es jedoch, natürliche Lebensmittel, z. B. das Gewürz Kurkuma, als Medizin zu verzehren. Verwenden Sie es sehr großzügig!

Damit Curcumin auch tatsächlich bei Entzündungsprozessen wirken kann, sollte es immer in Verbindung mit etwas Fett und schwarzem Pfeffer aufgenommen werden. Denn Curcumin ist nicht wasserlöslich und kann nur schwer vom Darm in die Blutbahn resorbiert werden. In Kombination mit Fett und schwarzem Pfeffer (Wirkstoff Piperin) bringt es den bestmöglichen Erfolg.

Kurkuma sowie Ingwer haben die Wirkkraft in geballter Form. Sie verfügen über ein enormes Nährstoffspektrum und im Vergleich zu Gemüse oder anderen antientzündlichen Lebensmitteln braucht man nur geringe Mengen, um gesund zu bleiben. Studien, die die Wirkung von Kurkuma untersuchten, zeigten, dass die regelmäßige Einnahme von durchschnittlich nur 200 mg Curcumin pro Tag positive Effekte in Bezug auf Entzündungsschutz zeigte.

Wie Sie täglich eine Extraportion Entzündungsschutz genießen können, finden Sie z. B. im Rezept »Heiße Gewürzmilch mit Chili« auf Seite 64.

Ingwer – das natürliche Aspirin

Neben Kurkuma besitzt auch Ingwer ein großes Potenzial, vor chronischen Entzündungen zu schützen. So sollen die Scharfstoffe des Ingwers in der Lage sein, das gleiche Enzym im Organismus zu hemmen, wie es die Verbindung Acetylsalicylsäure kann.

Acetylsalicylsäure ist ein Bestandteil von Aspirin und hemmt das Enzym Cyclooxygenase. Dieses Enzym wandelt Arachidonsäure (siehe Seite 30) in stark entzündungsfördernde Botenstoffe um.

Ingwer kann sogar bei komplexen Entzündungsprozessen in den Gelenken, wie z. B. bei Arthrose, die Entzündung bremsen und den Schmerz lindern. Und das Beste dabei ist: Frischer Ingwer enthält nahezu 0,0 % Chemie, ist vollkommen natürlich und hat keinerlei Nebenwirkungen. Natürlicher Ingwer spielt also beim Schutz vor Entzündungen spürbar mit. Genießen Sie ihn, so oft sie mögen. Bevorzugen Sie am besten immer Ingwer in Bioqualität. Ingwer kann als Gewürz in zahlreichen Speisen eingesetzt werden, ob in

> **REZEPT**
>
> ### Ingwer-Bad
>
> **100 g Ingwer**
> **1 l Wasser**
>
> Ingwer in Scheiben schneiden und mit Wasser zum Kochen bringen. Ca. 1 Stunde bei kleiner Hitze köcheln lassen.
>
> **ANWENDUNG:**
> - Gießen Sie das heiße Ingwerwasser ins Badewasser.
> - Genießen Sie das Bad entspannt in ca. 30 Minuten. Es fördert die Durchblutung, entgiftet und lindert Gelenkschmerzen.
> - **VORSICHT:** Badewasser nicht in die Augen bringen!

der Suppe, bei Fisch- und Fleischgerichten, aber auch für Gemüse, Salate und Desserts. Klassisch wird Ingwer gern als Tee bzw. Ingwerwasser getrunken. Aber haben Sie schon einmal ein Ingwerbad genommen? Sie werden staunen! Siehe Anwendungstipp auf Seite 43.

Chili – scharf gegen Gelenkschmerzen

Chili bzw. der darin enthaltene Wirkstoff Capsaicin soll bei Arthrose und den damit verbundenen Gelenkentzündungen helfen. Capsaicin verleiht Chilis ihre natürliche Schärfe. Aus Untersuchungen weiß man, dass reichlich scharf gegessen werden muss, um in den Genuss der entzündungshemmenden und schmerzlindernden Wirkung zu kommen (etwa 4 bis 6 kleine Chilischoten). Chilis können frisch, getrocknet oder in Pulverform verzehrt werden.

In Salben zur äußerlichen Anwendung bei Muskel- und Gelenkschmerzen wird Capsaicin schon lange erfolgreich eingesetzt und kann Schmerzen zum Abklingen

REZEPT

Entzündungshemmendes Chiliöl

10 g Chilischoten, getrocknet und zerkleinert
250 ml Bio-Olivenöl
2 Schraubgläser (à ca. 300 ml)

1 Die zerkleinerten Chilischoten in eines der beiden Gläser geben und mit dem Olivenöl aufgießen. Die Chilischoten sollten komplett mit Olivenöl bedeckt sein.

2 Das Glas 10 Tage an einem dunklen, zimmerwarmen Ort aufbewahren, hin und wieder schütteln.

3 Nach 10 Tagen das Öl über Filterpapier filtern und in das zweite Schraubglas füllen.

4 Im Kühlschrank ist das Chiliöl ca. 4 Monate haltbar.

ANWENDUNG:

Das Öl mehrmals täglich auf die schmerzenden Gelenke auftragen und einmassieren. Handschuhe beim Auftragen verwenden!

bringen. Der hohe Caspsaicingehalt aktiviert nämlich die Wärme- und Schmerzrezeptoren auf der Haut, und die Durchblutung im schmerzenden Gelenk wird angeregt. Die bessere Durchblutung trägt dazu bei, dass die Gelenkknorpel wieder besser mit Nährstoffen versorgt werden können.

Gewürzmischung – besonders aktiv gegen Entzündungen

Neben Kurkuma, Ingwer und Chili soll sich auch die Kombination von Kreuzkümmel (Cumin), Muskat und Koriander bewährt haben. Ätherische Öle, die reichlich in der Gewürzkombination enthalten sind, werden über den Darm ins Blut transportiert und wandern dann in die Gelenkinnenhaut. Sie fördern die Durchblutung im Gelenk und sorgen so für eine gute Nährstoffversorgung. Entzündungen und Schmerzen können gelindert werden.

Für die erhoffte entzündungshemmende Wirkung sollte man von dem Anti-Entzündungs-Gewürz (siehe nebenstehendes Rezept) mindestens 2-mal täglich 1/2 TL (gestrichen) zu sich nehmen. Am besten gibt man die Mischung in Joghurt, Quark, Müsli oder Suppen. Auch die einfache Einnahme mit Wasser oder Tee ist möglich. Außerdem benötigt man ein wenig Geduld, denn die ersten Veränderungen merkt man erst nach einem Einnahmezeitraum von 4 Wochen oder später, je nachdem, wie lange und wie stark der Krankheitsprozess bereits besteht.

REZEPT

Anti-Entzündungs-Gewürz

Kreuzkümmel (ganz)
Muskat (ganze Muskatnuss)
Koriander (Samen)

Die Gewürze zu gleichen Teilen mischen und frisch mahlen. Kreuzkümmel und Koriandersamen können Sie auch im Mörser verreiben.

ANWENDUNG:
Mind. 2-mal täglich ½ TL verwenden. In Quark, Joghurt, Müsli, Suppen oder zum Gemüse geben. Oder pur mit Wasser oder Tee einnehmen.

HINWEIS Gewürze sollten Sie nach Möglichkeit immer selbst mahlen oder mörsern, da sie sonst schnell ihr Aroma verlieren. Außerdem können Sie so eine hohe Qualität sichern.

AUF EINEN BLICK – DIE ENTZÜNDUNGSHEMMER

Gemüse

Ob **Rote Bete, Brokkoli**, rote **Zwiebeln** oder verschiedene **Kohlsorten**: Hier steckt eine konzentrierte Mischung an Vitaminen, Mineralstoffen und sekundären Pflanzenstoffen, die positive Effekte auf unsere Gesundheit haben und ganz besonders die Bildung entzündungsfördernder Botenstoffe blockieren können.

z. B. Kohl

Nüsse, Samen und Kerne

z. B. Walnüsse

Nüsse, insbesondere **Walnüsse** und **Pinienkerne,** sollten fester Bestandteil einer antientzündlichen Ernährung sein. Sie sind reich an der entzündungshemmenden alpha-Linolensäure (Omega-3-Fettsäure) und liefern gleichzeitig reichlich Magnesium und Zink, die das Immunsystem in vielfältiger Weise unterstützen.

Kalt gepresste Pflanzenöle

Lein(samen)öl gilt als das Kraftpaket an Omega-3-Fettsäuren. Zusammen mit dem im Öl enthalten Vitamin E wirkt es positiv auf die Darmflora, und die enthaltenen sekundären Pflanzenstoffe halten aggressive Sauerstoffverbindungen in Schach. **Olivenöl** und das darin enthaltene Oleocanthal blockiert die Bildung der entzündungsfördernden Arachidonsäure. **Kokosöl** dagegen punktet mit der Laurinsäure, die die körpereigene Abwehr im Darm stärkt und somit das Immunsystem kräftigt.

z. B. Leinöl

Obst

Beeren, Kirschen, Äpfel, Ananas oder vielleicht doch lieber **Papaya**? Egal für was Sie sich entscheiden – diese Früchte liefern enorme Mengen an gesundheitsfördernden Antioxidanzien und Enzymen, die das Immunsystem stärken und Entzündungen schneller abklingen lassen können.

z. B. Beeren

Seefisch und Meeresfrüchte

Sie sind eine wahre Goldgrube für hochwertige Omega-3-Fettsäuren (DHA, EPA), die stark entzündungshemmend wirken und Hormone in das Gleichgewicht bringen. Außerdem sind Seefische, wie **Lachs**, **Thunfisch**, **Kabeljau** u.v.m. die besten natürlichen Vitamin-D-Lieferanten. Vitamin D reguliert das Immunsystem und wacht darüber, dass es nicht überreagiert.

z. B. Lachs

Gewürze

z. B. Ingwer

Sie sind Heilmittel der Natur und insbesondere für Menschen mit rheumatoider Arthritis unentbehrlich. **Kurkuma** oder **Ingwer** können ähnlich gut wie Medikamente auf entzündungsspezifische Symptome einwirken. **Zimt** und auch **Chili** mit ihren ätherischen Ölen wärmen von innen, kurbeln den Stoffwechsel an und regen die Ausschüttung von Endorphinen an. Diese Botenstoffe sorgen für ein Glücksgefühl und üben eine entspannende Wirkung auf den Körper aus.

Kräuter

Kräuter wie **Basilikum**, **Thymian**, **Dill**, **Salbei** u.v.m. sind mehr als nur Dekoration auf dem Teller. Sie bieten ein Potpourri an Vitalstoffen und ätherischen Ölen (Thymol, Eugenol, Cineol, Campfer), die ein breites entzündungshemmendes Potenzial aufweisen. Sie wirken vorbeugend und können Schmerzen lindern.

z. B. Basilikum

Getreide und Pseudogetreide

z. B. Buchweizen

Klassische Getreidearten sind in einer antientzündlichen Ernährung weniger zu empfehlen aufgrund des Klebereiweißes Gluten, denn es kann Entzündungen einheizen. Dennoch muss nicht auf stärkehaltige Lebensmittel verzichtet werden. So sind **Hafer** und Pseudogetreidearten, wie **Buchweizen**, **Amaranth** oder **Quinoa**, wertvolle Alternativen. Sie liefern zahlreiche Mikronährstoffe, insbesondere Silizium, Magnesium, Zink, Vitamin E und B-Vitamine, die für die Versorgung und den Erhalt der Gelenkknorpel wichtig sind.

DIE ENTZÜNDUNGSHEMMER

IMMUNKRAFT STÄRKEN, RISIKEN REDUZIEREN

Ausgewogen, vitamin- und mineralstoffreich – das ist die beste Ernährung für ein starkes Immunsystem. Darüber hinaus gibt es noch weitere Faktoren, die vor Entzündungen schützen können.

Ein kranker Darm, Überernährung, Übergewicht, Schlafmangel, wenig Bewegung und zu viel Stress haben ebenfalls großen Einfluss auf das Immunsystem. Sie schwächen es und tragen dazu bei, dass sich Entzündungen im Körper leichter ausbreiten können.

Gesundheit beginnt im Darm

Der Darm ist, neben der Haut, eine Barriere, die den Körper vor krank machenden Einflüssen der Außenwelt schützt. Auf einer gesunden Darmschleimhaut leben schätzungsweise 100 Billionen Bakterien, die die sogenannte Darmflora bilden. Ist alles in Ordnung, leben sie in einem ausgewogenen Gleichgewicht und unterstützen sich gegenseitig. Sie schützen die Immunzellen des Darms und halten ihn und uns gesund.

Falsche Ernährungsgewohnheiten, reichlich Lebensmittelzusatzstoffe wie z. B. Süßstoffe, Konservierungsstoffe, Aromen, Farbstoffe oder Geschmacksverstärker, Medikamente und dauerhafter Stress schädigen oft die nützlichen Bakterien oder vernichten sie sogar. Das Immunsystem verliert dadurch wichtige Helfer und einen beträchtlichen Teil seiner Leistungsfähigkeit. Das kann auf Dauer zu entzündlichen Darmerkrankungen führen.

Wenn der Darm porös wird

Geraten die Darmbakterien aus ihrem gesunden Gleichgewicht, bröckelt die natürliche Schutzschicht und die Darmschleimhaut kann auf Dauer durchlässig werden. Dann spricht man von einem »Leaky-Gut-Syndrom«. Ein »löchriger« Darm lässt Stoffe durchrutschen und ins Blut gelangen, die dort nichts zu suchen haben, wie z. B. noch nicht vollständig abgebaute Nahrungsbestandteile. Im Blut werden sie dann vom Immunsystem als fremd und schädlich erkannt. Eine Alarmsituation für die Körperabwehr – die fremden Stoffe werden bekämpft.

Die Darmflora oder das Darmmikrobiom, wie sie neuerdings genannt wird, ist derzeit ein sehr beliebtes Forschungsobjekt für Wissenschaftler. Seit einiger Zeit erforscht man die Fragestellung, inwieweit Darmbakterien einen Einfluss auf die Entstehung von Gelenkschmerzen nehmen können. In einigen Untersuchungen wurde bereits bewiesen, dass eine gestörte Darmflora Arthrose verschlimmern kann.

Man weiß, dass eine ballaststoffarme und fettreiche Ernährung die Darmflora verändert und schädigt, mit der Folge, dass sich vermehrt Entzündungsprozesse im Körper ausbreiten können. Und das wiederum trägt dazu bei, dass Gelenke auf Dauer zerstört oder bereits aktive Abbauprozesse in Gelenken beschleunigt werden.

Ran an den »Bauchspeck«

Jeder Mensch hat einen individuellen Stoffwechsel und Energiebedarf, die von vielen Faktoren wie Alter, Alltagsaktivität oder Geschlecht beeinflusst werden.

Der Körper ist also keine Maschine, sondern ein dynamisch agierendes Gesamtsystem. Eine entscheidende Rolle zur Beurteilung des Energieverbrauchs spielt, dass die Organe wie Herz, Nieren, Gehirn und Leber ständig aktiv sind, damit alle lebensnotwendigen Stoffwechselprozesse ablaufen können. Wenn man z. B. Sport treibt, wird der Stoffwechsel über einen längeren Zeitraum angekurbelt, d. h. die Organe sind noch 3 – 4 Stunden nach dem Sport aktiver als sonst. Auch die Muskeln, die wir nur in Bewegung aufbauen, verbrauchen mehr Energie als Fettgewebe.

Viszerales Bauchfett ist die Brutstätte für Entzündungsstoffe schlechthin!

Die Brutstätte heimlicher Entzündungen

Je weniger Gewicht, desto besser, scheint die landläufige Meinung zu sein, um heimlichen Entzündungen vorzubeugen. Das ist grundsätzlich richtig. Es spielt aber auch die Verteilung des Körperfetts eine wichtige Rolle, um die gesundheitlichen Risiken von Übergewicht für die Entstehung von Entzündungen einzuschätzen. Es kommt nicht nur darauf an, wie viel Gewicht man auf die Waage bringt, sondern auch, an welchen Stellen sich die Hüftpölsterchen bilden.

Man unterscheidet zwischen der Birnen- und der Apfelform: Während der sogenannte gynoide Birnentyp vor allem an Gesäß, Hüften und Oberschenkeln Unterhautfettgewebe ansetzt, ist der bevorzugte Speicherort beim androiden Apfeltyp der Bauchraum. Dieses sogenannte Viszeralfett gilt als problematisch, weil es permanent Entzündungsparameter produziert und damit als Brutstätte chronisch entzündlicher Erkrankungen gilt. Das Risiko, an Gelenkentzündungen, Rheuma, Diabetes, Arteriosklerose und Herz-Kreislauf-Beschwerden zu erkranken, steigt also, wenn sich die Fettdepots bevorzugt im Bauchraum bilden.

Wichtig: Viszerales Bauchfett ist kein »totes« Gewebe, im Gegenteil, es ist hoch stoffwechselaktiv. Es werden dort Entzündungsparameter gebildet, die eigentlich das Immunsystem unterstützen und dann Abwehrzellen herbeirufen sollten, wenn sich irgendwo im Körper eine Entzündung bildet. Doch leider lösen sie sogar selbst Entzündungen aus. Sie greifen z. B. die Gelenkinnenhaut an und sind Initiatoren von schmerzhaften Gelenkentzündungen. Der Schwelbrand sitzt also im Bauch!

Wer jetzt denkt, unter Gelenkentzündungen, Rheuma, Arthritis und ähnlichen Krankheitsbildern würden nur übergewichtige Menschen leiden, der irrt gewaltig. Auch schlanke Personen können Fettpölsterchen im Bauchraum haben, sie verstecken sich nur besser. Auch sie können also ein erhöhtes Risiko für Entzündungen haben.

Messmethoden zur Ermittlung des Risikos

Ob im Bauchraum zu viel Fett schlummert, lässt sich mit zwei recht einfachen Messmethoden ermitteln: mittels Messung des Bauchumfangs und Ermittlung der Waist-to-Height-Ratio.

ERMITTLUNG DES BAUCHUMFANGS Gemessen wird an der breitesten Stelle. Der Wert sollte bei Frauen maximal 88 cm und bei Männern höchstens 102 cm betragen.

Auch recht schlanke Menschen können »viszerales Bauchfett« haben. Das sind Fettpölsterchen im Bauchraum, die als besonders entzündungsfördernd gelten.

ERMITTLUNG DER WAIST-TO-HEIGHT-RATIO Dieser Quotient beschreibt das Verhältnis von Taillenumfang zur Körpergröße und kann somit Hinweise auf den Anteil an Viszeralfett und damit einhergehende Risiken liefern.

Übergewicht vermeiden schützt vor Entzündungen

Der erste Schritt, um Entzündungsparametern das »Wasser abzutragen«, ist die Erzielung eines gesunden Körpergewichts. Dabei geht es nicht darum, möglichst schnell mit Crash- oder einseitigen Diäten dem Bauchfett an den Kragen zu gehen. Diese schaden dem Körper meist mehr als sie ihm nutzen, denn viele Crashdiäten führen zu einer mangelhaften Nährstoffversorgung. Stattdessen sollte man besser langfristig auf ausgewogene Mahlzeiten achten und regelmäßig essen. So lassen sich Heißhungerattacken vermeiden.

Frische, selbst zubereitete Speisen mit reichlich Gemüse und Obst sowie Vollkornprodukte sollten auf dem täglichen Speiseplan stehen. Fertiggerichte, stark zuckerhaltige Lebensmittel und Weißmehlprodukte dagegen gilt es, so oft wie nur möglich zu meiden. Fisch und Geflügel statt rotem Fleisch und Schwein sind zu bevorzugen.

Neben einer ausgewogenen und vitalstoffreichen Ernährung sind ebenso regelmäßige Bewegung wichtig, dem Übergewicht keine Chance zu lassen bzw. störendes und risikoreiches Bauchfett abzubauen.

Fasten für gesunde Gelenke

Grundsätzlich sollte eine ausgewogene Ernährung sowohl Säure- als auch Basenbildner liefern. Die Realität sieht leider oft anders aus, und die meisten Menschen ernähren sich deutlich säureüberschüssig. Dies gilt übrigens auch für Vegetarier oder Veganer, denn nicht nur tierische Produkte sind Säurebildner.

Werden Kohlenhydrate, Fett oder Eiweiß verstoffwechselt, fallen säurehaltige Verbindungen an. Diese Säuren werden in der Regel durch die basischen Mineralien in Salze umgebaut und dann über die Niere wieder ausgeschieden.

Einer der häufigsten Ernährungsfehler ist, zu wenig basische Mineralien aufzunehmen. Viele Menschen bevorzugen stark verarbeitete, geschälte oder hoch erhitzte Produkte, die nur noch wenig wertvolle Mineralien liefern. Es fallen im Stoffwechsel also mehr Säuren an, als ausgeschieden werden können. Wenn täglich zu viele Säuren gebildet werden, entsteht auf Dauer eine Säurelast im Organismus, die zu gesundheitlichen Störungen führen kann – von Verdauungsbeschwerden über Allergien und Infektanfälligkeit bis hin zu heimlichen Entzündungen mit schmerzenden Gelenken.

Regelmäßige Fastenzeiten gehen den Entzündungen an den Kragen!

Gesundheit liegt im Verzicht

Gelegentlich eine Fastenwoche einzulegen, kann den Teufelskreis durchbrechen und intensiv entsäuern. Wer fastet, gönnt seinem Körper eine Verschnaufpause. In einem tief greifenden körperlichen und seelischen Prozess der Reinigung und Neuorientierung wird wie bei einer Müllverbrennungsanlage all das entsorgt, was belastet und krank macht. Beim Fasten wird der gesamte Organismus entlastet, vor allem die Verdauungsorgane und der Darm.

Während des Fastens finden zahlreiche regenerierende Veränderungen im Stoffwechsel statt. Der Körper stellt seinen Stoffwechsel auf »Ernährung von innen« um. Das bedeutet, er nutzt körpereigene, gespeicherte Nährstoffe zur Energiegewinnung. Dabei baut er zuerst das Glykogen aus Muskel- und Leberzellen ab. Anschließend greift er dann auf die Fettreserven zurück. Dabei wird der Körper von Hormonen unterstützt, die die Fettsäuren aus dem Fettgewebe lösen. Dann stehen sie als Energie für Muskeln, Herz und andere Organe zur Verfügung. So kommt der Fettstoffwechsel in Schwung, die Pfunde purzeln und das viszerale Bauchfett geht zurück.

Beim Fasten nach Buchinger beispielsweise werden nachweislich die Entzündungsparameter TNF-alpha und Interleukin-6 reduziert, die Entzündungsprozesse ankurbeln (siehe Seite 22). Gleichzeitig wird der Körper während des Fastens nicht mit schädlicher Arachidonsäure belastet, die vorwiegend in tierischen Lebensmitteln enthalten ist. Sie ist maßgeblich an der Entstehung von Gelenkentzündungen beteiligt. Der gesamte Bewegungsapparat kann so von gelegentlichen Fastentagen profitieren.

Viele Menschen, die regelmäßig fasten, können berichten, dass ihre Gelenkschmerzen, ihre rheumatischen Beschwerden und die Schmerzen durch Arthrose deutlich zurückgegangen sind. Ein Gewinn, der, wie viele berichten, auch nach der Fastenzeit anhält.

Stress vermeiden – Entspannung fördern

Stress lass nach! Unruhe und Stress sind in der heutigen Zeit tagtägliche Begleiter. Wir sind jederzeit erreichbar, werden nervös, wenn wir mal kurz für eine halbe Stunde keine E-Mails beantworten oder nicht sofort die Antwort auf unsere Anfrage bekommen. Hinzu kommt, dass eine chronische Krankheit wie Gelenkentzündungen, Rheuma, Arthrose oder Diabetes, die uns u.U. ständig begleitet und unsere Aufmerksamkeit abverlangt, uns zusätzlich fordert oder überfordert und mitunter sogar »auf die Nerven« gehen kann. Auch das ist Stress und wird auf Dauer zur Last. Daher sind kleine Auszeiten, insbesondere zwischendurch und nicht erst im Urlaub, so wichtig und eigentlich das »Salz in der Suppe«, sie lassen uns den Alltag leichter meistern.

Unterscheide akuten von chronischem Stress

Akuter Stress ist aus medizinischer Sicht zunächst eine gesunde körperliche Reaktion, die den Organismus kurzfristig besonders leistungsfähig machen soll – und keinen krank machenden Effekt hat. Hingegen kann andauernder, chronischer Stress zu ernsthaften Erkrankungen führen, weil im Stress dauernd Stresshormone ausgeschüttet werden. Sie sollen Energiereserven freisetzen, um der plötzlichen Anforderung standhalten zu können. Aber gleichzeitig bremsen diese Stresshormone das Immunsystem aus. Die Folgen: Die Kraft der Körperabwehr nimmt ab. Entzündungsauslösende Stoffe können sich ungehindert ausbreiten. Das Risiko für Entzündungen und deren Ausbreitung steigt. Wer bereits mit Entzündungen zu tun hat, der heizt im Stress die bestehenden Schwelbrände noch mal zusätzlich an.

Jeder empfindet anders – trotzdem muss Erholung sein

Jeder Mensch hat ein anderes Stressempfinden, und was der eine als positiven Stress und Ansporn empfindet, überfordert den anderen. Doch jeder Mensch braucht Ruhepausen. Ein gesunder Lebensstil zeichnet sich nicht nur durch eine ausgewogene Ernährung aus, sondern auch durch den regelmäßigen Wechsel von Stress- und Ruhezeiten. Richtig zu entspannen ist unerlässlich für Wohlbefinden und Gesundheit. So individuell wie wir alle sind, so unterschiedlich sind die Ansichten, was wir unter Entspannung verstehen. Während die einen am besten beim Lesen entspannen, widmen sich andere der Gartenarbeit. Wobei entspannen Sie am besten?

Es gibt viele Entspannungstechniken, die sich mit wenig Zeitaufwand im Alltag unterbringen lassen. Zu den am häufigsten praktizierten gehören autogenes Training, progressive Muskelentspannung nach Jacobson, auch Yoga oder Meditation tragen zur Entschleunigung bei. Allerdings sollten Entspannungsübungen regelmäßig durchgeführt werden und täglich ihren festen Platz bekommen. Je häufiger man sie praktiziert, desto besser. So werden sie schnell zum festen Bestandteil unseres Lebens.

Suche ein schönes Ritual für deinen Alltag!

Rituale im Alltag sind wahre Stresskiller, denn während des Rituals hat der Kopf Pause! Das kann z. B. die Cappuccino-Pause mittags sein, die kleine Unterhaltung mit Kollegen, der Lauftreff am Dienstagabend, die Pilatesstunde am Freitag oder die kleine Meditation zu Beginn des Tages. Sie werden zum festen Bestandteil des Alltags und der Woche. Der Vorteil an Ritualen: Man muss sie nicht planen! Sie kommen automatisch. Sie erfordern keine zusätzliche Energie oder Motivation – im Gegenteil, sie geben mit Leichtigkeit neue Kraft!

Rituale, wie z. B. 10-Minuten-Auszeiten im Alltag, helfen, seinen Lebensstil in Richtung »gesünder« zu verändern.

Achtsamkeit für sich und den Körper

Eine sehr schöne Möglichkeit, mehr auf sich und seinen Körper zu hören und achtsam mit sich umzugehen, bieten die Mahlzeiten. Wahrnehmung und Aufmerksamkeit sind zwei Komponenten, die beim Essen eine wichtige Rolle spielen. Wenn wir unsere Mahlzeiten in Ruhe essen, haben wir die Möglichkeit, eine Pause in unseren stressigen und hektischen Alltag einzubauen. Wir sollten die Möglichkeit nutzen, unser Essen achtsam zu kauen und bewusst zu genießen. Beides reduziert gleichermaßen den Stress.

Nutzen wir die Mahlzeiten, um zur Ruhe zu kommen, das bedeutet z. B. das Frühstück nicht im Stehen oder auf dem Weg zur Arbeit schnell herunterzuschlingen oder das Mittagessen nicht am Schreibtisch neben der Tastatur zu sich zu nehmen, sondern in einen anderen, gemütlicheren Raum zu wechseln.

Genuss geht nicht nebenbei, Genuss braucht seine Zeit. Wenn man einen guten Tropfen Wein hat, dann trinkt man das Glas auch nicht auf einmal aus. Man riecht das herrliche Weinaroma, nimmt einen kleinen Schluck und nimmt sein vollmundiges Aroma in vollen Zügen wahr. Man lässt ihn kurze Zeit im Mund, auf der Zunge und in den Wangentaschen verweilen. Genauso kann man auch jedes Essen bewusst genießen. Gelingt es uns, die Mahlzeiten als Auszeit zu sehen, um runterzukommen und Kraft zu tanken, entschleunigen wir ungemein den hektischen Takt des Tages. Was sich einfach anhört, muss man manchmal etwas üben. Doch sobald man spürt, wie gut es tut, wird es schnell zur wohltuenden Routine. Fangen Sie noch heute mit dieser Entspannungs- und Achtsamkeitsübung an, die sich einfach in den Alltag integrieren lässt.

Schlaf – der Booster fürs Immunsystem

Sicherlich kennt das jeder: Wenn wir uns unwohl fühlen, eine Grippe im Anmarsch ist oder wir uns einfach nur schlapp fühlen, dann steigt das Schlafbedürfnis oft deutlich an. Auch der Rat »schlaf dich gesund« kommt nicht von ungefähr. Im Schlaf arbeitet das Immunsystem auf Hochtouren. Studien belegen, dass natürliche Killerzellen und Fresszellen im Schlaf aktiver sind und dadurch den Körper schützen. Ein Mangel an Schlaf kann also die Funktionsfähigkeit des Immunsystems stark vermindern.

Außerdem hat man in weiteren Untersuchungen festgestellt, dass bei Schlafmangel bestimmte Gene aktiviert werden, die an Stress- und Entzündungsprozessen beteiligt sind. Wie viel Stunden Schlaf ein Mensch benötigt, ist allerdings sehr unterschiedlich. Manche fühlen sich nach 5 Stunden gut erholt, andere sind erst nach 10 Stunden ausgeschlafen. Auch bei kurzem Schlaf holt sich der Körper die Ruhe, die er braucht. Wer unter Schlafstörungen leidet, kann mit o.g. Entspannungstechniken versuchen, besser zur Ruhe zu kommen. Auch altbewährte Hausmittel wie beruhigende Tees mit Baldrian, Lavendel oder Hopfen oder ein warmes Bad mit beruhigenden ätherischen Ölen kurz vor dem Zubettgehen können den Schlaf fördern.

Zur Ruhe kommen und üben

Nicht zuletzt sind die Bewegungsübungen auf den Karten in diesem Set eine Anregung für Sie, gleich doppelt Gutes für mehr Beweglichkeit und Schmerzlinderung zu tun. Die Übungen kann jeder mitmachen, sie schonen die Gelenke, können Entzündungsprozesse beruhigen, die Beweglichkeit verbessern und wiederherstellen. Gleichzeitig sind Sie eingeladen, die Übungen langsam und achtsam auszuführen. Das ist der zweite Nutzen: Sie können beim Üben angenehm zur Ruhe kommen, entspannen, Ihr Wohlbefinden und damit auch Ihre Lebensqualität steigern. Viel Freude beim Üben!

REZEPTE MIT ENTZÜNDUNGS-SCHUTZ

FRÜHSTÜCKE

GRUNDREZEPT BALLASTOFFREICHES MÜSLI

FÜR 10 PORTIONEN

- 20 Walnusshälften
- 40 g Sonnenblumenkerne
- 40 g Kürbiskerne
- 100 g Haferflocken
- 60 g Teff-Flocken
- 20 g Leinsamen
- 2 TL Zimt

Zubereitungszeit: ca. 10 Min. (Grundrezept)

1 Walnusshälften hacken. In einer heißen Pfanne ohne Fett zunächst die Sonnenblumen- und Kürbiskerne ca. 3 Minuten vorsichtig anrösten, bis sie leicht Farbe bekommen.

2 Haferflocken dazugeben und weitere 2 Minuten rösten. Teff-Flocken, Leinsamen, gehackte Walnusskerne und Zimt mit den gerösteten Zutaten mischen.

TIPP Die Müslimischung kann man in einem gut verschlossenen Behältnis 2–3 Wochen aufbewahren. Wer es etwas süßer liebt, gibt 1–2 klein geschnittene Datteln oder 1 EL Rosinen dazu.

FRISCHES BEERENMÜSLI AUS DEM VORRAT

FÜR 1 PORTION

- 1 Portion Müslimischung (30 g; Rezept siehe oben)
- 1 Handvoll Beeren (z. B. Erd-, Him- oder Heidelbeeren)
- 250 ml Hafer- oder Mandelmilch

Zubereitungszeit: ca. 5 Min.

1 Die kernige Müslimischung in eine Schale geben. Die gemischten Beeren nach Belieben waschen und zerkleinern.

2 Das kernige Müsli, die Beerenfrüchte und die Hafer- oder Mandelmilch miteinander vermischen und genießen.

BUNTES POWER-FIT-MÜSLI

1 Apfel waschen, vierteln, das Kernhaus entfernen und das Fruchtfleisch in Würfel schneiden. Banane schälen und in Scheiben schneiden.

2 Papaya halbieren, die Kerne mit einem scharfkantigen Löffel entfernen und das Fruchtfleisch in feine Würfel schneiden. Heidel- und Erdbeeren waschen, bei den Erdbeeren den Stielansatz entfernen und in Scheiben schneiden.

3 Walnüsse grob hacken. Apfel, Banane, Papaya, Heidel- und Erdbeeren mit den Walnüssen und dem Leinsamen gut vermischen.

4 Das Müsli auf zwei Schälchen verteilen und kurz vor dem Servieren mit Schwarzkümmelöl beträufeln.

> **FÜR 2 PERSONEN**
>
> 1 Apfel
> 1 Banane
> 100 g Papaya
> 50 g Heidelbeeren
> 50 g Erdbeeren
> 8 Walnusshälften
> 2 EL Leinsamen
> 1 TL Schwarzkümmelöl
>
> Zubereitungszeit: ca. 10 Min.

WISSENSWERTES ÜBER PAPAYA

Papaya, die tropische Frucht, ist reich an Vitalstoffen, insbesondere an B-Vitaminen und Vitamin C. Schon 100 Gramm Papaya pro Tag decken den Vitamin-C-Bedarf eines Erwachsenen. Berühmtheit erlangte die Papaya jedoch durch die vielen Enzyme, wie Papain, Chymopapain oder Lipase, die helfen, dass Eiweiße und Fette besser verdaut werden. Papain und Chymopapain sind zudem dafür bekannt, Entzündungen zu lindern. Aufgrund ihrer geringen Fruchtsäure wird die Frucht auch von Menschen mit Hautproblemen in der Regel gut vertragen. Außerdem kann Papaya den Organismus entsäuern und unterstützt die Verdauung.

FRÜHSTÜCKE

BUCHWEIZENBREI MIT MANGO

FÜR 2 PERSONEN

100 g Buchweizen
250 ml Hafermilch
1 Prise Salz
150 g Mango
50 g Walnusshälften
1 TL Manuka-Honig
½ TL Zimt
½ TL Kurkumapulver
Schwarzer Pfeffer

Zubereitungszeit: ca. 20 Min.

1. Buchweizen in einem heißen Topf ohne Fett unter ständigem Rühren einige Minuten leicht anrösten.

2. Hafermilch und 1 Prise Salz zugeben und alles kurz aufkochen lassen. Die Kochstelle abschalten und den Buchweizen im geschlossenen Topf auf der noch heißen Herdplatte 15 Minuten quellen lassen. Es entsteht ein dicker Brei.

3. Mango schälen und in feine Würfel schneiden. Walnusshälften hacken und mit der Hälfte der Mangowürfel, dem Honig, Zimt, Kurkuma und etwas Pfeffer unter den lauwarmen Buchweizenbrei rühren.

4. Den Buchweizenbrei auf zwei Schälchen verteilen und mit den restlichen Mangowürfeln garnieren.

TIPP Variieren Sie den Buchweizenbrei mit frischen Beeren (z. B. Erd-, Him- oder Heidelbeeren) sowie Äpfeln oder Birnen.

BEEREN-MÜSLI-DRINK FÜR MEHR POWER

FÜR 2 PERSONEN

- 1 Stück Ingwer
- 150 g Erdbeeren
- 150 g Himbeeren
- 1 EL Hagebuttenpulver
- 30 g Amaranth-Flocken
- 200 ml Hafermilch

Zubereitungszeit: ca. 10 Min.

1 Ingwer waschen und fein raspeln. Die Erdbeeren waschen und putzen. Himbeeren bei Bedarf vorsichtig waschen. Eine Erdbeere halbieren und zusammen mit zwei Himbeeren als Garnitur zurückbehalten.

2 Die restlichen Beeren, Ingwer, Hagebuttenpulver und die Amaranth-Flocken zusammen mit der Hafermilch in einen Mixer geben und auf höchster Stufe cremig pürieren.

3 Den Müsli-Drink auf zwei Gläser verteilen und mit der Erdbeere garniert servieren.

TIPPS Anstatt der frischen Beeren eignet sich auch eine tiefgefrorene Beerenmischung. Tiefgekühlte Ware vor dem Mixen etwas antauen lassen.

Anstatt der Amaranth-Flocken können Sie auch Hafer-, Roggen- oder Gerstenflocken nehmen. Da diese jedoch etwas kerniger sind, sollten sie zuvor etwa 5 – 10 Minuten in der Hafermilch eingeweicht werden.

ZIEGENFRISCHKÄSE MIT HIRSE UND HIMBEEREN

1 Himbeeren kurz unter kaltem Wasser abbrausen und abtropfen lassen. Ziegenfrischkäse mit Mineralwasser glatt rühren. Walnüsse grob hacken.

2 Die gehackten Nüsse mit Mandelmilch, Zimt und Hirseflocken in einen kleinen Topf geben und kurz aufkochen lassen. Sechs Himbeeren beiseite legen, die restlichen Früchte unter die Walnuss-Hirse-Mischung geben.

3 Den glatt gerührten Ziegenfrischkäse auf zwei Teller verteilen. Die Walnuss-Hirse-Himbeer-Mischung darauf verteilen und mit den restlichen Himbeeren garnieren.

FÜR 2 PERSONEN

200 g Himbeeren
300 g Ziegenfrischkäse
150 ml Mineralwasser
40 g Walnusskerne
150 ml Mandelmilch
½ TL Zimt
60 g Hirseflocken

Zubereitungszeit: ca. 10 Min.

TIPPS Anstelle der Himbeeren eignen sich auch Heidel-, Brom- oder Erdbeeren. Wer keine Walnüsse mag, greift zu Pinien- oder Sonnenblumenkernen.

HEISSE GEWÜRZMILCH MIT CHILI

FÜR 2 PERSONEN

300 ml Hafermilch
200 ml Kokosmilch
1 Vanilleschote
½ TL Zimt
½ TL Kurkumapulver
¼ TL Chilipulver
1 Msp. schwarzer Pfeffer
1 EL Ahornsirup

Zubereitungszeit: ca. 10 Min.

1 Hafer- und Kokosmilch in einen kleinen Topf geben und langsam erhitzen. Mit dem Rücken eines kleinen, scharfen Messers das Mark aus der Vanilleschote kratzen. Zusammen mit Zimt, Kurkuma, Chilipulver und schwarzem Pfeffer zur Milch geben und alles zusammen kurz aufkochen lassen.

2 Die Gewürzmilch vom Herd nehmen und den Ahornsirup einrühren. Anschließend die Milch gut umrühren, auf zwei Gläser oder Tassen verteilen und heiß servieren.

WISSENSWERTES ÜBER GEWÜRZE MIT ENTZÜNDUNGSSCHUTZ

Die heiße Gewürzmilch vereint Gewürze mit hohem Entzündungsschutz, wie beispielsweise Kurkuma, Zimt und Chilipulver. Sie wirken ganz unterschiedlich im Stoffwechselgeschehen: Der Inhaltsstoff Curcumin in Kurkuma kann Entzündungsabläufe blockieren, sodass es erst gar nicht zu entzündlichen Prozessen kommen muss. Die Scharfstoffe und ätherischen Öle von Chili- und Zimtpulver lassen den Körper mehr anregende Botenstoffe und Hormone, die sogenannten Endorphine, bilden. Das ist gut so, denn sie wirken entspannend auf den Körper. Außerdem sorgen die Scharfstoffe für eine bessere Durchblutung, sodass auch schmerzende Gelenke davon profitieren können. Der schwarze Pfeffer – das »i«-Tüpfelchen der Gewürzmischung der heißen Milch – unterstützt mit seinem Inhaltsstoff Piperin, dass die Inhaltsstoffe besser und in ihrer ganzen Vielfalt aufgenommen werden können.

HAFER-PORRIDGE MIT GRANATAPFEL

FÜR 2 PERSONEN

500 ml Hafermilch
100 g Haferflocken (glutenfrei)
4 EL Granatapfelkerne, getrocknet
1 Apfel
½ TL Zimt
½ TL Kurkumapulver
1 Prise schwarzer Pfeffer
1 EL Ahornsirup
1 EL Leinöl

Zubereitungszeit: ca. 15 Min.

1 Hafermilch mit Haferflocken und Granatapfelkernen in einem kleinen Topf mischen und kurz aufkochen lassen. Bei kleinster Hitze ca. 5 Minuten quellen lassen und gelegentlich umrühren.

2 Das Porridge von der heißen Kochstelle nehmen und weitere 5 Minuten bei geschlossenem Topf quellen lassen.

3 Apfel waschen, vierteln und das Kernhaus entfernen. Den Apfel zunächst vierteln, ein Viertel in feine Scheiben schneiden und beiseite stellen. Den restlichen Apfel in Würfel schneiden.

4 Die Apfelwürfel in einer heißen Pfanne ohne Fett 2 Minuten dünsten. Von der heißen Kochstelle nehmen. Zimt, Kurkuma, Pfeffer und Ahornsirup dazugeben und vermischen.

5 Apfelmischung mit Leinöl unter das gequollene Hafer-Porridge mischen. Porridge auf zwei Teller verteilen und vor dem Servieren mit den beiseite gelegten Apfelspalten garnieren.

ERDBEERJOGHURT MIT WALNÜSSEN

1 Erdbeeren waschen, entstielen und vierteln. Manuka-Honig mit dem Schwarzkümmelöl verrühren. Die Erdbeeren vorsichtig darunter heben und 10 Minuten marinieren.

2 Die Walnusshälften grob hacken. Den Schafsjoghurt auf zwei Schalen verteilen, die marinierten Erdbeeren darauf geben und mit Walnusskernen und Leinsamen garnieren.

FÜR 2 PERSONEN

250 g Erdbeeren
1 EL Manuka-Honig
1 EL Schwarzkümmelöl
10 Walnusshälften
250 g Schafsjoghurt
1 TL Leinsamen

Zubereitungszeit: ca. 15 Min.

TIPP Die Erdbeeren kann man auch am Abend zuvor mit Honig und Schwarzkümmelöl marinieren und zugedeckt im Kühlschrank aufbewahren. So ist das Frühstück am Morgen noch schneller zubereitet.

WISSENSWERTES ÜBER SCHWARZKÜMMEL

Geschmacklich hat Schwarzkümmel keine Gemeinsamkeiten mit seinem Namensvetter, dem herkömmlichen Kümmel, und schmeckt eher leicht nussig. Im Orient verwendet man das Öl seit 2000 Jahren als natürliches Heilmittel.

Zur Stärkung des Immunsystems empfiehlt es sich, täglich ca. 1 TL Schwarzkümmelöl einzunehmen. Um den intensiven Geschmack etwas abzumildern, kann das Öl mit wenig frisch gepresstem Saft vermischt werden.

SALATE, SNACKS & AUFSTRICHE

FRUCHTIGER QUINOA-SALAT MIT ROTER BETE

FÜR 2 PERSONEN

- 100 g Quinoa
- 250 ml Gemüsebrühe
- 1 EL Pinienkerne
- 200 g Kichererbsen (aus der Dose)
- 2 Rote Beten, vorgegart
- 4 EL Olivenöl
- 2 EL Bio-Apfelessig
- 1 Orange
- 1 Knoblauchzehe
- 1 Stück Bio-Ingwer (ca. 2 cm)
- ½ Chilischote
- ½ Bund Schnittlauch
- Salz, Pfeffer

Zubereitungszeit: ca. 40 Min.

1 Quinoa in ein Haarsieb geben und unter kaltem Wasser abspülen. Quinoa mit der Gemüsebrühe aufkochen und bei kleiner Hitze ca. 15 Minuten köcheln lassen. Vom Herd nehmen und zugedeckt 5 Minuten ruhen lassen.

2 Pinienkerne in einer heißen Pfanne ohne Fett ca. 2 Minuten rösten, bis sie sich leicht verfärben. Kichererbsen in ein Haarsieb geben, mit kaltem Wasser abspülen und abtropfen lassen. Die vorgegarten Roten Beten in Würfel schneiden.

3 Für das Salatdressing Olivenöl und Apfelessig in ein Gefäß geben. Orange waschen, die Schale abreiben, den Saft auspressen und beides zum Essig-Öl-Gemisch geben.

4 Knoblauch abziehen und durch eine Knoblauchpresse in das Dressing drücken. Ingwer fein reiben. Chilischote waschen und in sehr feine Würfel schneiden. Beides in das Dressing geben und gut miteinander verrühren.

5 Quinoa mit den Kichererbsen und dem Salatdressing mischen, nach Belieben mit Salz und Pfeffer abschmecken. Zum Schluss die Rote-Bete-Würfel unterheben und mit den gerösteten Pinienkernen verrühren. Schnittlauch waschen, trocken schütteln und in feinen Röllchen über den Salat streuen.

FENCHELSALAT MIT NÜSSEN UND KERNEN

1 Fenchel waschen, das Fenchelkraut beiseite legen und die Fenchelknollen in dünne Streifen schneiden. Karotten waschen, putzen und ebenfalls in dünne Streifen schneiden. Fenchel- und Karottenstreifen mischen und mit Salz und Pfeffer würzen. Walnusskerne grob hacken.

2 Die Orange waschen und die Hälfte der Schale abreiben. Die Orange auspressen. Orangensaft, -schale und Walnussöl miteinander mischen und zusammen mit den Sonnenblumen- und Walnusskernen unter die Fenchel-Karotten-Mischung geben. Nach Belieben mit Salz und Pfeffer abschmecken.

3 Den Fenchel-Rohkost-Salat auf zwei Tellern anrichten und mit dem Fenchelkraut garnieren.

> **FÜR 2 PERSONEN**
>
> 2 Fenchelknollen
> 2 Karotten
> Salz, Pfeffer
> 8 Walnusshälften
> 1 Orange
> 2 EL Walnussöl
> 2 EL Sonnenblumenkerne
>
> **Zubereitungszeit:** ca. 20 Min.

WISSENSWERTES ÜBER FENCHEL

Vor allem in der Naturheilkunde werden Fenchelsamen und Fencheltee bei Hustenreiz, Blähungen und anderen Verdauungsbeschwerden sehr geschätzt. Der Gemüsefenchel (Knollenfenchel) selbst spielt nur eine untergeordnete Rolle in der Naturheilkunde. Das liegt möglicherweise daran, dass sich die wertvollen ätherischen Öle beim Erhitzen verflüchtigen. Daher sollte man Gemüsefenchel gelegentlich auch roh verzehren, um in den Genuss der entzündungshemmenden ätherischen Öle zu kommen. Neben der entzündungshemmenden Wirkung unterstützen sie auch die Verdauung und können die Leber- und Nierentätigkeit anregen. Aber auch gedünstet, gebacken oder gebraten harmoniert Fenchel sehr gut mit Gewürzen, die ebenfalls entzündungshemmende Eigenschaften aufweisen, wie z. B. Rosmarin, Chili oder Kurkuma.

LINSENAUFSTRICH MIT SÜSSKARTOFFELN

1 Zwiebel und Knoblauch abziehen und beides in feinste Würfel schneiden. Süßkartoffeln waschen, schälen und in kleine Würfel schneiden. Linsen in ein Haarsieb geben und mit kaltem Wasser abbrausen.

2 Olivenöl in einem Topf erhitzen. Zwiebel und Knoblauch darin kurz andünsten. Süßkartoffeln dazugeben, mit Kurkuma bestäuben und etwa 1 Minuten mitdünsten.

3 Gemüsebrühe aufgießen und die Linsen dazugeben. Alles gut umrühren, aufkochen und zugedeckt bei mittlerer Hitze ca. 10 Minuten köcheln lassen, dabei ab und zu umrühren.

4 Am Ende der Garzeit das überschüssige Wasser abgießen. Apfelessig zur Linsen-Süßkartoffel-Mischung geben und alles mit einem Pürierstab gut mixen. Mit Salz und Pfeffer kräftig abschmecken und den Aufstrich mindestens 30 Minuten kühl stellen.

5 Die Kresse waschen, trocken schütteln und abschneiden. Den Linsen-Süßkartoffel-Aufstrich vor dem Servieren mit Kresse bestreuen.

FÜR 2 PERSONEN

1 kleine rote Zwiebel
1 Knoblauchzehe
250 g Süßkartoffeln
100 g rote Linsen
2 EL Olivenöl
1 TL Kurkumapulver
200 ml Gemüsebrühe
1 EL Bio-Apfelessig
Salz, schwarzer Pfeffer
½ Kästchen Kresse

Zubereitungszeit:
ca. 20 Min. plus
30 Min. zum Kühlen

TIPPS Passt sehr gut auf frisches Vollkornbrot oder als Dip zu Rohkost.

Wer es gern etwas bunter hat, kann noch rote oder gelbe Paprikaschote, in feine Würfel geschnitten, darunter mischen.

Den Aufstrich kann man auch gut auf Vorrat herstellen – gut verschlossen hält er im Kühlschrank 3 – 4 Tage. Damit er nicht nachdunkelt, gibt man statt des Apfelessigs 1 – 2 EL Zitronensaft dazu.

Wenn es morgens schnell gehen muss, bereiten Sie den Aufstrich schon am Abend zuvor zu.

WEISSKRAUTSALAT MIT APFEL UND NÜSSEN

FÜR 2 PERSONEN

- ½ Kopf Weißkohl
- Salz
- 1 roter Apfel
- 75 g Walnusskerne
- 50 g Sonnenblumenkerne
- 3 EL Olivenöl
- 2 EL Apfelessig
- 1 EL Manuka-Honig
- 1 TL Kurkumapulver
- Pfeffer

Zubereitungszeit: ca. 30 Min. plus 30 Min. zum Durchziehen

1 Den Weißkohl halbieren und den Strunk mit einem Messer keilförmig herausschneiden. Den Weißkohl in einem Topf mit sprudelndem Salzwasser kochen, bis sich die einzelnen Blätter lösen und weich geworden sind. Die Blätter aus dem Wasser nehmen und in feine Streifen schneiden.

2 Apfel waschen, vierteln, das Kernhaus entfernen und das Fruchtfleisch in Würfel schneiden. Walnüsse und Sonnenblumenkerne in einer heißen Pfanne ohne Fett in wenigen Minuten leicht rösten.

3 Olivenöl, Essig, Honig, Kurkuma, Salz und Pfeffer mit einem kleinen Schneebesen kräftig aufschlagen. Weißkohlstreifen mit Apfelwürfeln, Walnüssen und Sonnenblumenkernen mischen und das Salatdressing unterrühren. Nach Belieben mit Salz und Pfeffer abschmecken. Den Salat mindestens 30 Minuten gut durchziehen lassen.

DATTEL-LACHS-CREME MIT FRISCHEM DILL

1 Räucherlachs in feine Würfel schneiden. Dill und Kerbel waschen, trocken schütteln, die Blätter von den Stielen zupfen und fein hacken. 1 EL Grün für die Deko beiseite legen.

2 Eine Dattel zur Seite legen und in Streifen schneiden. Die restlichen in feine Ringe schneiden.

3 Frischkäse mit den in feine Ringe geschnittenen Datteln und den gehackten Kräutern gut vermischen. Die Lachswürfelchen unterrühren.

4 Die Creme auf zwei Schälchen verteilen und mit den Dattelstreifen und restlichen Kräutern garnieren.

TIPP Dazu passt frisches Roggenvollkornbrot sowie Pell- und Ofenkartoffeln.

FÜR 2 PERSONEN

- 60 g Räucherlachs
- 3 Dillzweige
- 3 Kerbelzweige
- 130 g entsteinte, große Datteln
- 200 g Ziegenfrischkäse

Zubereitungszeit: ca. 10 Min.

WISSENSWERTES ÜBER SEEFISCH UND DATTELN

Seefische, wie Lachs, Hering oder Makrele, liefern hochwertige Omega-3-Fettsäuren, die Docosahexaensäure (DHA) und die Eicosapentaensäure (EPA), die im Körper Entzündungen hemmen können. Neben den Omega-3-Fettsäuren liefert Seefisch hochwertiges Eiweiß, das Bindegewebe und Elastizität der Haut verbessert. Und als ob das nicht schon genug wäre, kann der Fisch auch noch mit Vitamin D und Jod punkten. Vitamin D unterstützt das Immunsystem und wirkt aktiv gegen Entzündungsmarker. Jod kümmert sich um die Schilddrüse, die einen entscheidenden Einfluss auf den Stoffwechsel nimmt.

Um Entzündungen Paroli zu bieten, brauchen wir neben hochwertigen Fetten, Vitaminen und Mineralstoffen auch die wichtigen Polyphenole. Datteln, die süß und mild im Geschmack sind, und mit denen man so manches Gericht fein abrunden kann, ohne dafür weißen Haushaltszucker einsetzen zu müssen, liefern neben der Süße auch reichlich Polyphenole. Sie können zur Regenerierung des Knochengewebes beitragen, entzündungshemmend wirken und Gelenkschmerzen lindern.

AVOCADO-CARPACCIO MIT KRESSE-SALSA

FÜR 2 PERSONEN

1 EL Sonnenblumenkerne
1 Limette
80 g Kresse
6 Basilikumblätter
1 Knoblauchzehe
2 Tomaten
2 EL Olivenöl
Salz, schwarzer Pfeffer
1 reife Avocado

Zubereitungszeit: ca. 20 Min.

1. Sonnenblumenkerne in einer heißen Pfanne ohne Fett kurz rösten, bis sie sich leicht verfärben. Limette auspressen und den Saft auffangen. Kresse und Basilikum waschen, trocken schütteln und fein hacken.

2. Knoblauch abziehen und fein hacken. Tomaten waschen, trocken reiben, vierteln und in feine Würfel schneiden. Gehackte Kräuter mit Knoblauch, Olivenöl, 1 EL Limettensaft und den Tomatenwürfeln mischen. Mit Salz und schwarzem Pfeffer kräftig würzen.

3. Avocado halbieren, den Kern entfernen und die Avocadohälften vorsichtig aus der Schale lösen. In sehr schmale Spalten schneiden und auf zwei Tellern kreisförmig anordnen.

4. Die Avocadospalten mit dem restlichen Limettensaft beträufeln und etwas salzen. Die Kresse-Salsa in der Mitte darauf verteilen. Das Avocado-Carpaccio mit den gerösteten Sonnenblumenkernen bestreuen.

WISSENSWERTES ÜBER AVOCADO UND KRESSE

Die Avocado ist eine der fettreichsten Obstsorten – ja richtig gelesen, botanisch gesehen zählt die Avocado zum Obst und nicht zum Gemüse. Aber das ist nicht die einzige Besonderheit, denn die Inhaltsstoffe der Avocado haben besonders positive Wirkung auf die Gesundheit. Ihre sekundären Pflanzenstoffe Flavonoide und Polyphenole in Verbindung mit den zahlreichen Antioxidanzien wirken entzündungshemmend.

Aber auch Kresse ist nicht zu verachten! Denn sie liefert neben Vitaminen und Mineralstoffen zudem wertvolle Senföle, Bitter- und Gerbstoffe. Diese scharfen, ätherischen Öle sind es, denen man stoffwechselanregende, entschlackende und entzündungshemmende Wirkung attestiert.

KÜRBIS-LINSEN-SALAT AUF RUKOLABETT

FÜR 2 PERSONEN

150 g braune Linsen
400 g Hokkaido-Kürbis
1 rote Zwiebel
2 EL Olivenöl
100 ml Gemüsebrühe
Salz, Pfeffer
50 g Rukola
2 Zweige Koriander
½ TL Thymian, getrocknet
½ TL Rosmarin, getrocknet
2 EL weißer Balsamico-Essig
1 TL Senf
1 TL Honig
1 Apfel

Zubereitungszeit: ca. 45 Min.

1 Linsen mit der doppelten Menge kaltem Wasser zum Kochen bringen. Bei mittlerer Hitze ca. 30 Minuten köcheln lassen. Linsen in ein Sieb abgießen und mit kaltem Wasser abschrecken.

2 Währenddessen den Kürbis waschen, entkernen und das Fruchtfleisch in Würfel schneiden. Zwiebel abziehen und in feine Würfel schneiden.

3 In einer Pfanne 1 EL Olivenöl erhitzen. Kürbis- und Zwiebelwürfel unter Rühren etwa 5 Minuten braten. Mit der Hälfte an Gemüsebrühe aufgießen und weitere 5 Minuten köcheln lassen. Das Gemüse vom Herd nehmen und etwas auskühlen lassen. Mit Salz und Pfeffer würzen.

4 Rukola und Koriander waschen und trocken schütteln. Korianderblätter abzupfen. Aus der restlichen Gemüsebrühe, 1 EL Olivenöl, den Kräutern, Essig, Senf und Honig ein Salatdressing anrühren. Linsen und Kürbis miteinander vermischen und das Dressing darunter rühren. Den angemachten Salat gut 15 Minuten ziehen lassen.

5 Rukola auf zwei Teller verteilen. Apfel waschen, vierteln, entkernen und in dünne Spalten schneiden. Den Kürbis-Linsen-Salat auf den Rukola geben und mit Apfelspalten und Korianderblättchen garnieren.

TIPP Anstelle von Olivenöl passt auch sehr gut Schwarzkümmelöl.

LINSEN AN SCHWARZ-KÜMMEL-DRESSING

FÜR 4 PERSONEN

150 g Belugalinsen
1 gelbe Paprika
1 rote Paprika
🍎 1 Apfel
Für das Dressing:
🍎 ½ Bund Petersilie
🍎 ½ Bund Schnittlauch
🍎 4 EL Olivenöl
🍎 2 TL Schwarzkümmelöl
2 EL Bio-Apfelessig
1 TL Dijon-Senf
Salz, schwarzer Pfeffer
🍎 einige Blättchen Basilikum oder Koriander

Zubereitungszeit:
ca. 30 Min. plus
30 Min. zum Durchziehen

1 Linsen in ein Haarsieb geben und unter kaltem Wasser abspülen. Einen Topf mit 500 ml Wasser (ohne Salz) füllen, die Linsen hineingeben und zum Kochen bringen. 30 Minuten kochen lassen. Danach das überschüssige Wasser abgießen.

2 Beide Paprikaschoten waschen, Trennwände und Kerne entfernen und das Fruchtfleisch in feine Würfel schneiden. Apfel waschen, vierteln, das Kernhaus entfernen und das Fruchtfleisch in Würfel schneiden.

3 Für das Dressing Petersilie und Schnittlauch waschen, trocken schütteln und fein hacken. Oliven- und Schwarzkümmelöl, Essig, Senf, Salz und Pfeffer gut verrühren und zum Schluss die gehackten Kräuter unterrühren.

4 Das Salatdressing mit den lauwarmen Linsen, den Paprika- und Apfelwürfeln mischen. Den Salat mindestens 30 Minuten ziehen lassen. Kurz vor dem Servieren frische Kräuter waschen, grob hacken und über den Salat streuen.

WISSENSWERTES ÜBER KORIANDER

Koriander wartet mit zahlreichen gesundheitsfördernden Eigenschaften auf. Seine tiefgrünen Blätter sind reich an wertvollen Antioxidanzien, ätherischen Ölen, Vitaminen und Mineralstoffen. Vor allem das ätherische Öl Cineol und die Linolsäure haben entzündungshemmende Eigenschaften. Sie können helfen, Schwellungen, die bei Rheuma und Arthritis auftreten, zu lindern. Darüber hinaus wird Koriander, insbesondere Korianderextrakt, gerne verwendet, um Schwermetalle aus dem Körper zu leiten. Denn das Kraut hat die Eigenschaft, toxische Metalle an sich zu binden.

ROTE-BETE-SALAT MIT APFEL UND NÜSSEN

FÜR 2 PERSONEN

- 250 g Rote Beten, gegart
- 1 Zitrone
- 1 Apfel
- ½ Avocado
- 2 EL Olivenöl
- 50 ml Gemüsebrühe
- Salz, Pfeffer
- 10 Walnusshälften

Zubereitungszeit: ca. 20 Min. plus 20 Min. zum Ziehen

1. Rote Beten in Würfel schneiden. Zitrone waschen, trocken reiben und etwas Zitronenschale abreiben. Zitrone auspressen und den Saft auffangen.

2. Apfel waschen, vierteln, entkernen und die Hälfte in Spalten schneiden, den Rest würfeln. Apfel mit etwas Zitronensaft beträufeln.

3. Das Fruchtfleisch aus der Avocado lösen und zusammen mit dem restlichen Zitronensaft, Zitronenschale, Olivenöl und Gemüsebrühe in einen Mixer geben und kräftig pürieren. Mit Salz und Pfeffer abschmecken.

4. Die Walnusshälften grob hacken. Rote Beten, Apfelwürfel und Walnusshälften mischen und das Salatdressing darunter mischen. Zum Schluss den Salat mit den Apfelspalten garnieren.

TIPPS Besonders gut schmeckt der Salat, nachdem er eine Weile durchgezogen ist, ca. 15 – 20 Minuten.

Zum Rote-Bete-Salat passen sehr gut gebratene Garnelen, gebackener Ziegenkäse oder Feta.

LAUWARMER PILZ-SALAT MIT CROÛTONS

FÜR 2 PERSONEN

300 g Shiitakepilze
150 g Feldsalat
4 Cocktailtomaten
1 rote Paprika
1 Apfel
1 rote Zwiebel
1 Knoblauchzehe
2 Scheiben Roggenvollkornbrot
4 EL Olivenöl
3 EL Balsamico-Essig
3 EL Gemüsebrühe
Salz, Pfeffer

Zubereitungszeit: ca. 30 Min.

1 Pilze putzen und klein schneiden. Feldsalat gründlich putzen, waschen und abtropfen lassen. Cocktailtomaten waschen und halbieren. Rote Paprikaschote waschen, Kerne und weiße Trennwände entfernen und das Fruchtfleisch in Würfel schneiden.

2 Apfel waschen, vierteln, entkernen und in Würfel schneiden. Zwiebel und Knoblauch abziehen und in feinste Würfel schneiden.

3 Brot in Würfel schneiden. In einer Pfanne 1 EL Olivenöl erhitzen und die Zwiebel und die Pilze scharf darin anbraten, ca. 3–4 Minuten. Dann die Paprika- und Apfelwürfel 1–2 Minuten mitbraten. Mit Salz und Pfeffer würzen. Mit Essig und Brühe ablöschen und die Pfanne von der heißen Kochstelle nehmen.

4 In einer weiteren Pfanne 1 EL Olivenöl erhitzen und den Knoblauch darin glasig dünsten. Die Brotwürfel zugeben und 5 Minuten rösten.

5 Feldsalat in eine Schüssel geben und das restliche Olivenöl darübergeben, etwas mit Salz und Pfeffer würzen. Feldsalat auf zwei Teller verteilen. Darauf die Pilzmischung mit den Knoblauch-Croûtons verteilen und den Salat mit den Cocktailtomaten garnieren.

TIPP Der Pilzsalat schmeckt auch sehr gut mit Champignons oder Steinpilzen.

SHIITAKEPILZE AUF LÖWENZAHNSALAT

FÜR 2 PERSONEN

Für das Dressing:
- 1 kleine rote Zwiebel
- 4 EL Olivenöl
- 1 EL Schwarzkümmelöl
- 50 ml Gemüsebrühe
- 2 EL Bio-Apfelessig
- ½ TL Dijon-Senf
- 1 TL Estragon, getrocknet
- Salz, Pfeffer

Für den Salat:
- 150 g grüner Spargel
- 200 g Shiitakepilze
- 1 gelbe Paprikaschote
- 150 g Löwenzahn

Zubereitungszeit: ca. 20 Min.

1 Zwiebel abziehen und in feine Würfel schneiden. Die Zwiebelwürfel mit 2 EL Olivenöl, Schwarzkümmelöl, Gemüsebrühe, Apfelessig, Senf, Estragon, Salz und Pfeffer vermischen und kräftig zu einem Salatdressing aufschlagen.

2 Den Spargel waschen, putzen und schräg in 2 cm große Stückchen schneiden. Shiitakepilze gründlich putzen. Löwenzahn waschen und trocken schütteln.

3 Das restliche Öl erhitzen und Pilze und Spargel darin 3–4 Minuten kräftig anbraten. Mit Salz und Pfeffer würzen und das Ganze etwas auskühlen lassen.

4 Paprika waschen, Kerne und weiße Trennwände entfernen. Das Fruchtfleisch in feine Streifen schneiden. Paprika und Löwenzahn miteinander mischen, auf zwei Teller verteilen und mit dem Salatdressing übergießen. Anschließend die Shiitake-Spargel-Mischung darauf verteilen und servieren.

BLATTSALATE MIT ZIEGENKÄSE

FÜR 2 PERSONEN

50 g Babyspinat
50 g Rukola
50 g Feldsalat
1 Bund Schnittlauch
80 g Ziegenkäse (Rolle)
1 Limette
150 g reife Mango
1 Avocado
25 g getrocknete Cranberrys
Für das Dressing:
5 EL Cranberrysaft
2 EL Olivenöl
1 TL Honig
1 TL Dijon-Senf
Salz, Pfeffer

Zubereitungszeit: ca. 20 Min.

1. Spinat, Rukola und Feldsalat putzen, gründlich waschen und abtropfen lassen. Schnittlauch waschen, trocken schütteln und in feine Ringe schneiden.

2. Ziegenkäse in 1 cm dicke Scheiben schneiden. Limette waschen, trocken reiben und die Hälfte der Schale abreiben. Limette auspressen. Mango schälen und das Fruchtfleisch in Würfel schneiden.

3. Avocado halbieren, Kern entfernen und das Fruchtfleisch mit einem Löffel aus der Schale lösen. Avocado-Fruchtfleisch in Scheiben schneiden und sofort mit Limettensaft beträufeln. Avocadoscheiben mit den getrockneten Cranberrys und den Mangowürfeln vorsichtig mischen.

4. Cranberrysaft, Olivenöl, Honig, Senf sowie Salz und Pfeffer kräftig zu einem Salat-Dressing aufschlagen.

5. Spinat, Rukola und Feldsalat mischen, etwas salzen und auf zwei Tellern verteilen. Die Avocado-Mango-Cranberry-Mischung darauf verteilen und das Salatdressing gleichmäßig darüber träufeln. Den Ziegenkäse in den Schnittlauchröllchen wenden und dekorativ auf dem Salat verteilen.

WISSENSWERTES ZU CRANBERRYS

Zahlreiche Studien bestätigen, dass die in Cranberrys enthaltenen Nährstoffe sehr förderlich für die Gesundheit sind. Die gesunde Kraft verdanken sie vor allem dem hohen Gehalt an sekundären Pflanzenstoffen. So gilt Cranberry-Saft als wirkungsvolles natürliches Mittel, um Blasenentzündungen vorzubeugen. Zudem schützen sekundäre Pflanzenstoffe die Zellen vor freien Radikalen und können vorbeugend gegen Herzerkrankungen wirken.

SUPPEN

GRÜNKOHLSUPPE MIT SÜSSKARTOFFELN

FÜR 4 PERSONEN

300 g Süßkartoffeln
1 l Gemüsebrühe
1 rote Zwiebel
1 Stück Bio-Ingwer (ca. 2 cm)
1 EL Olivenöl
500 g Grünkohl
1 EL Leindotteröl
2 EL Hafermilch
Pfeffer, Salz

Zubereitungszeit: ca. 30 Min.

1 Die Süßkartoffeln waschen, schälen, würfeln und in der Gemüsebrühe in etwa 10 Minuten weich kochen. Nicht abgießen.

2 Zwiebelhälfte abziehen und in feine Würfel schneiden. Ingwer waschen und mit der Schale fein raspeln.

3 Olivenöl in einer Pfanne erhitzen und die Zwiebel und den Ingwer 3 Minuten dünsten. Die Zwiebel-Ingwer-Mischung zu den gegarten Süßkartoffeln in den Topf geben.

4 Anschließend das Ganze mit einem Pürierstab mixen.

5 Grünkohl waschen, putzen und in feine Streifen schneiden. In die pürierte Suppe geben und weitere 15 Minuten bei mittlerer Hitze garen.

6 Leindotteröl und Hafermilch in einem kleinen Handmixer oder mit einem Schneebesen kräftig vermischen. Die Suppe mit Salz und Pfeffer abschmecken. Kurz vor dem Servieren die Leindotteröl-Hafermilch-Mischung unterrühren.

TIPP Sie können die Suppe auch auf Vorrat kochen, sie lässt sich gut einfrieren. Geben Sie dann Leindotteröl und Hafermilch erst kurz vor dem Verzehr dazu.

ASIATISCHE GEMÜSE-FISCHSUPPE

FÜR 2 PERSONEN

- ½ Zitrone
- 250 g Kabeljaufilet
- Salz
- 2 Kartoffeln
- 2 Karotten
- 1 rote Zwiebel
- 1 Knoblauchzehe
- 1 Stück Bio-Ingwer (ca. 1 cm)
- 250 g Brokkoli
- ½ rote Chilischote
- ½ Bund Schnittlauch
- 2 EL Olivenöl
- 1 TL Kurkumapulver
- 500 ml Gemüsebrühe
- schwarzer Pfeffer
- 200 ml Kokosmilch

Zubereitungszeit: ca. 45 Min.

1 Zitrone auspressen. Kabeljaufilet unter kalten Wasser abbrausen, trocken tupfen, mit Zitronensaft beträufeln und etwas salzen.

2 Kartoffeln und Karotten waschen, schälen und würfeln. Zwiebel und Knoblauch abziehen und in feinste Würfel schneiden. Ingwer waschen und mit der Schale fein reiben.

3 Brokkoli waschen, putzen und in kleine Röschen teilen. Den Brokkolistrunk in feine Streifen schneiden.

4 Chilischote waschen, entkernen und in feine Ringe schneiden. Den Schnittlauch waschen, trocken schütteln und ebenfalls in feine Ringe schneiden.

5 In einem Topf das Olivenöl erhitzen und Zwiebel, Knoblauch und Ingwer kurz darin anschwitzen. Karotten, Kartoffeln und Brokkolistrunk sowie Kurkuma dazugeben, gut umrühren und mit der Gemüsebrühe aufgießen. Alles zum Kochen bringen und bei mittlerer Hitze ca. 15 Minuten köcheln lassen. Anschließend die Brokkoliröschen dazugeben und weitere 5 Minuten garen.

6 Das Kabeljaufilet in mundgerechte Stücke schneiden und nach 20 Minuten zusammen mit den Chiliringen in die Suppe geben. Weitere 5 Minuten garen. Anschließend die Suppe mit Salz und Pfeffer würzen und die Kokosmilch unterrühren. Vor dem Servieren mit den Schnittlauchröllchen bestreuen.

GRÜNKOHLEINTOPF MIT TOFU

FÜR 2 PERSONEN

400 g Grünkohl
2 Karotten
2 Pastinaken
1 rote Zwiebel
1 Knoblauchzehe
150 g Tofu, geräuchert
2 EL Olivenöl
600 ml Gemüsebrühe
Salz
½ TL Kümmelpulver
Pfeffer

Zubereitungszeit: ca. 45 Min.

1. Grünkohl waschen, putzen und in mundgerechte Stücke schneiden. Karotten und Pastinaken gegebenenfalls waschen, schälen und in Würfel schneiden.

2. Zwiebel und Knoblauch abziehen und in feinste Würfel schneiden. Tofu in kleinere Würfel schneiden.

3. In einem Topf das Olivenöl erhitzen. Zwiebel, Knoblauch, Karotten und Pastinaken darin kurz andünsten (ca. 2 Minuten).

4. Mit der Gemüsebrühe aufgießen, alles zum Kochen bringen und 10 Minuten bei mittlerer Hitze köcheln lassen. Anschließend den Grünkohl dazugeben und weitere 10 Minuten garen.

5. Den Grünkohleintopf mit Salz, Pfeffer und Kümmel gut würzen. Die Tofuwürfel dazugeben und weitere 5 Minuten garen.

SUPPEN

ROTE-BETE-KOKOS-SUPPE

FÜR 4 PERSONEN

2 Karotten
1 Kartoffel
1 rote Zwiebel
1 Knoblauchzehe
1 Stück Bio-Ingwer (ca. 2 cm)
4 Rote Beten, gegart
1 EL Kokosöl
800 ml Gemüsebrühe
1 Bund Koriander
1 Dose Kokosmilch (400 ml)
1 TL Kurkumapulver
Salz, Pfeffer

Zubereitungszeit: ca. 35 Min.

1. Die Karotten waschen, putzen und in kleine Würfel schneiden. Kartoffel waschen, schälen und in Würfel schneiden.

2. Zwiebel und Knoblauch abziehen und beides fein würfeln. Ingwer waschen und mit der Schale fein raspeln. Die Rote-Bete-Knollen in Würfel schneiden.

3. In einem Topf das Kokosöl erhitzen und darin zunächst Zwiebel, Knoblauch und Ingwer 2–3 Minuten dünsten. Anschließend die Karotten- und Kartoffelwürfel dazugeben und mit der Hälfte der Gemüsebrühe aufgießen. Bei mittlerer Hitze ca. 10 Minuten garen.

4. Die Rote-Bete-Würfel und die restliche Gemüsebrühe dazugeben und weitere 10 Minuten garen. Koriander waschen, trocken schütteln und fein hacken.

5. Die Suppe pürieren, die Hälfte der Kokosmilch unterrühren und mit Kurkuma, Salz und Pfeffer kräftig abschmecken. Die restliche Kokosmilch mit einem Mixer oder Pürierstab etwas aufschäumen.

6. Die Suppe auf vier Teller verteilen und mit der aufgeschäumten Kokosmilch und dem gehackten Koriander garnieren.

AROMATISCHE FENCHEL-LACHS-SUPPE

FÜR 2 PERSONEN

- 200 g Lachs, frisch oder tiefgefroren
- 2 Fenchelknollen
- 1 Kartoffel
- 200 g Brokkoli
- 1 rote Zwiebel
- 1 Knoblauchzehe
- 1 EL Olivenöl
- 500 ml Gemüsebrühe
- 1 TL Kurkumapulver
- Salz, schwarzer Pfeffer

Zubereitungszeit: ca. 40 Min.

1 Lachs in mundgerechte Stücke schneiden. Sollte der Lachs tiefgefroren sein, etwas antauen lassen.

2 Fenchelknollen waschen, putzen und das Fenchelgrün zum Garnieren beiseite legen. Fenchelknollen in schmale Streifen schneiden oder hobeln.

3 Kartoffel waschen, schälen und in grobe Würfel schneiden. Brokkoli waschen, putzen und die Röschen ablösen. Den Brokkolistrunk in feine Streifen schneiden. Zwiebel und Knoblauchzehe abziehen und fein würfeln.

4 In einem Topf das Olivenöl erhitzen. Zwiebel- und Knoblauchwürfel kurz darin andünsten. Kartoffelwürfel, Brokkolistrunk und die Hälfte der Fenchelstreifen dazugeben. Gut verrühren und das Gemüse ca. 2 Minuten braten. Die Gemüsebrühe aufgießen und alles ca. 15 Minuten bei mittlerer Hitze köcheln lassen.

5 Die Suppe pürieren und mit Kurkuma, Salz und Pfeffer abschmecken. Anschließend die Lachswürfel, die restlichen Fenchelstreifen und die Brokkoliröschen in die Suppe geben und bei mittlerer Hitze weitere 5–8 Minuten köcheln lassen.

6 Die Fenchel-Lachs-Suppe auf zwei Teller verteilen und mit dem Fenchelgrün garniert servieren.

SCHARFE KAROTTEN-CHILI-SUPPE

FÜR 2 PERSONEN

500 g Karotten
1 rote Zwiebel
1 rote Chilischote
4 Korianderzweige
2 EL Mandelblättchen
2 EL Kokosöl
1 EL Kurkumapulver
600 ml Gemüsebrühe
Salz, schwarzer Pfeffer
50 g Sahne

Zubereitungszeit: ca. 40 Min.

1 Karotten waschen, schälen und in Würfel schneiden. Zwiebel abziehen und würfeln. Chili waschen, entkernen und in feine Ringe schneiden. Koriander waschen, trocken schütteln, die Blätter abzupfen und grob hacken. Mandelblättchen in einer heißen Pfanne ohne Fett vorsichtig rösten, bis sie leicht Farbe bekommen.

2 Das Kokosöl in einem Topf erhitzen. Zwiebel und Karotten darin kurz dünsten, das dauert etwa 1–2 Minuten, dann Kurkuma unterrühren. Mit der Brühe aufgießen und alles zum Kochen bringen. Bei mittlerer Hitze ca. 15 Minuten köcheln lassen.

3 Erst dann die Chiliringe dazugeben und die Suppe weitere 5 Minuten köcheln lassen. Etwa die Hälfte der Suppe in einen Standmixer oder eine andere Schüssel geben. Einen Teil der Suppe pürieren, danach die gesamte Suppenmenge wieder zusammenführen. Mit Salz und Pfeffer kräftig würzen.

4 Vor dem Servieren die Sahne unterrühren. Die Suppe auf zwei Teller verteilen und mit den gehackten Korianderblättern und den gerösteten Mandelblättchen bestreut servieren.

KRÄUTER-SUPPE MIT PINIENKERNEN

FÜR 2 PERSONEN

- 1 rote Zwiebel
- 2 Kartoffeln
- 2 Pastinaken
- 2 EL Pinienkerne
- 3 EL Olivenöl
- 600 ml Gemüsebrühe
- ½ Bund Petersilie
- ½ Bund Kerbel
- ½ Bund Schnittlauch
- 2-3 Zweige Dill
- 12 Basilikumblätter
- Salz, schwarzer Pfeffer
- 1 Prise Muskatnuss, gemahlen
- 50 g Sahne

Zubereitungszeit: ca. 45 Min.

1 Zwiebel abziehen und würfeln. Kartoffeln und Pastinaken waschen, schälen und grob würfeln. Pinienkerne in einer heißen Pfanne ohne Fett kurz anrösten, bis sie Farbe annehmen.

2 In einem Topf das Olivenöl erhitzen und die Zwiebel glasig dünsten. Kartoffel- und Pastinakenwürfel hinzufügen und mit der Brühe aufgießen. Alles zum Kochen bringen und ca. 30 Minuten bei geschlossenem Deckel bei mittlerer Hitze köcheln lassen. Gelegentlich umrühren.

3 Währenddessen die Kräuter waschen, trocken schütteln und hacken. 1–2 EL beiseite legen zum Garnieren. Zur Hälfte der Garzeit die Kräuter zur Suppe hinzufügen. Wenn die Kartoffeln und Pastinaken weich sind, die Suppe mit einem Pürierstab mixen. Mit Salz, Pfeffer und Muskat kräftig abschmecken.

4 Die Suppe auf zwei Teller verteilen und mit den gerösteten Pinienkernen und den restlichen Kräutern garnieren. Zum Schluss mit der Sahne verfeinern.

TIPP Die Suppe kann auch mit frischen Brennnessel-Blättern zubereitet werden.

WISSENSWERTES ZU KERBEL

Kerbel kannten schon die alten Griechen und Römer. Sie setzten das Kraut nicht nur als aromatisches Würzmittel ein, sondern vor allem auch wegen der heilkräftigen Wirkung. Dem Kerbel sagt man entzündungshemmende, antioxidative, inmmunstärkende und stoffwechselanregende Wirkung nach. Neben Bitterstoffen, sekundären Pflanzenstoffen und Gerbstoffen enthält das Kraut auch einen hohen Anteil an ätherischen Ölen, Eisen, Zink, Magnesium, Kalium und Vitamin C.

KAROTTEN-APRIKOSEN-SUPPE MIT SPROSSEN

FÜR 2 PERSONEN

200 g Sojasprossen, frisch
Salz
½ Bund Petersilie
60 g getrocknete Aprikosen
1 Stück Bio-Ingwer (ca. 1 cm)
250 g Karotten
1 EL Olivenöl
600 ml Gemüsebrühe
Pfeffer
½ TL Kurkumapulver

Zubereitungszeit: ca. 45 Min.

1. Die Sojasprossen kurz (ca. 2 Minuten) in kochendes Salzwasser geben, herausnehmen, kalt abspülen und abtropfen lassen.

2. Petersilie waschen, trocken schütteln und fein hacken. Aprikosen und Ingwer mit Schale in kleine Würfel schneiden. Karotten waschen, schälen und in kleine Würfel schneiden.

3. In einem Topf das Olivenöl erhitzen. Karotten, Ingwer und die Hälfte der Aprikosen darin kurz braten. Mit der Gemüsebrühe aufgießen, aufkochen lassen und bei mittlerer Hitze ca. 25 Minuten köcheln lassen.

4. Die Suppe mit Salz, Pfeffer und Kurkuma würzen und in einem Mixer pürieren. Anschließend die restlichen Aprikosenstücke und die Sprossen hinzufügen, verrühren und die Suppe vor dem Servieren mit der gehackten Petersilie bestreuen.

TIPP Man kann auch Sojabohnensprossen aus dem Glas verwenden. Diese gibt man in ein Haarsieb und spült sie mit kaltem Wasser ab. Gut abtropfen lassen.

WISSENSWERTES ZU PETERSILIE

Petersilie, ob kraus oder glatt, ist viel mehr als nur die Dekoration! Das grüne Gewürzkraut ist voller Vitamine, Mineralstoffe und Spurenelemente. Sie wertet jedes Alltagsessen ohne Mühe auf, denn Petersilie passt zu fast allen Speisen – in Salate, Suppen, zu Gemüsegerichten oder auch in Säfte.
Petersilie soll Nieren- und Blasensteinen vorbeugen. Sie kann vor Blasenentzündungen schützen und die Entgiftung fördern.

LAUCHSUPPE MIT KNOBLAUCH-CROÛTONS

FÜR 2 PERSONEN

400 g Lauch
1 rote Zwiebel
2 Knoblauchzehen
3 EL Olivenöl
Salz
1 Süßkartoffel
1 Stück Bio-Ingwer (ca. 1 cm)
2 Thymianzweige
2 Petersilienzweige
1 TL Kurkumapulver
500 ml Gemüsebrühe
schwarzer Pfeffer
2 Scheiben Roggenvollkornbrot

Zubereitungszeit: ca. 30 Min.

1 Lauch putzen, waschen und in dünne Ringe schneiden. Zwiebel und Knoblauch abziehen. Zwiebel in feine Würfel schneiden. Knoblauchzehen durch eine Knoblauchpresse in ein Schälchen drücken. Mit 2 EL Olivenöl und etwas Salz verrühren.

2 Süßkartoffel waschen, schälen und grob würfeln. Ingwer waschen und mit der Schale fein reiben oder würfeln. Thymian und Petersilie waschen, trocken schütteln und die Thymianspitzen abzupfen. Den Backofen auf 200 °C (Ober-/Unterhitze) vorheizen.

3 In einem Topf das restliche Olivenöl erhitzen. Zwiebel, Ingwer und Süßkartoffel 1–2 Minuten darin dünsten. Kurkuma dazugeben, umrühren und mit der Gemüsebrühe aufgießen. Alles zum Kochen bringen und bei geringer Hitze 10 Minuten köcheln lassen.

4 2 EL Lauchringe beiseite nehmen. Den restlichen Lauch in die Suppe geben. Die Suppe weitere 10 Minuten köcheln lassen, dann pürieren und mit Salz und Pfeffer kräftig würzen.

5 Das Vollkornbrot mit der Olivenöl-Knoblauch-Mischung gut einpinseln, auf ein Backblech geben und im vorgeheizten Ofen bzw. bei 180 °C (Umluft) ca. 10 Minuten toasten. Eine getoastete Scheibe Brot in kleinere Würfel schneiden, die andere diagonal halbieren.

6 Die Suppe auf zwei Teller verteilen und mit den zurückbehaltenen Lauchringen, den frisch gehackten Kräutern und den Brotcroûtons garnieren.

HAUPTSPEISEN MIT FISCH

ASIATISCHE GARNELENPFANNE

FÜR 2 PERSONEN

- 300 g Quinoa
- Salz, schwarzer Pfeffer
- 1 EL Olivenöl
- 1 rote Paprika
- 1 gelbe Paprika
- 200 g Zuckerschoten
- 2 Frühlingszwiebeln
- 2 Knoblauchzehen
- 1 Stück Bio-Ingwer (ca. 2 cm)
- 1 rote Chilischote
- 2 EL Kokosöl
- 400 g Garnelen
- 150 ml Gemüsebrühe
- 150 ml Kokosmilch
- 1 EL Currypulver
- 1 TL Kurkumapulver
- 1 Bund Koriander

Zubereitungszeit: ca. 50 Min.

1 Quinoa in ein Haarsieb geben und mit kaltem Wasser abspülen. In einen Topf mit 500 ml Salzwasser geben und alles zum Kochen bringen. Zugedeckt 15 Minuten bei mittlerer Hitze köcheln lassen. Vom Herd nehmen und 15 Minuten quellen lassen. Bei Bedarf mit Salz und Pfeffer abschmecken und Olivenöl darunter mischen.

2 Paprikaschoten putzen, waschen und in feine Streifen schneiden. Zuckerschoten waschen und in grobe Stücke schneiden.

3 Frühlingszwiebeln putzen, waschen und in feine Ringe schneiden. Knoblauch abziehen und fein hacken. Ingwer waschen und mit der Schale fein raspeln. Chilischote längs halbieren, entkernen, waschen und fein schneiden.

4 Kokosöl in einem Topf oder einer etwas höheren Pfanne erhitzen. Paprika und Zuckerschoten ca. 3–4 Minuten darin anbraten.

5 Garnelen, Ingwer, Knoblauch und die Frühlingszwiebeln zugeben und weitere 2–3 Minuten braten. Mit Gemüsebrühe und Kokosmilch aufgießen und das Ganze aufkochen lassen. Bei geringer Hitze ca. 5 Minuten köcheln lassen. Danach mit Curry, Kurkuma, Salz und Pfeffer würzig abschmecken.

6 Koriander waschen, trocken schütteln und fein hacken. Die Garnelenpfanne vor dem Servieren mit dem gehackten Koriander bestreuen.

KABELJAUFILET MIT SÜSSKARTOFFELHAUBE

FÜR 2 PERSONEN

½ Zitrone
2 Kabeljaufilets
Salz, Pfeffer
½ Bund Petersilie
1 große Süßkartoffel
8 Walnusshälften
1 TL Senf
2 EL Olivenöl
Für die Papayasauce:
1 Papaya
1 Stück Bio-Ingwer (2 cm)
2 EL Bio-Apfelessig
etwas Salz
Chili- und Paprikapulver nach Belieben
etwas Koriandergrün, Rosmarin und Liebstöckel, fein gehackt

Zubereitungszeit: ca. 25 Min.

1. Den Backofen auf 200 °C (Ober-/Unterhitze) vorheizen. Zitrone auspressen. Fischfilet waschen, trocken tupfen, mit Salz und Pfeffer würzen und mit der Zitrone beträufeln.

2. Petersilie waschen, trocken schütteln und fein hacken. Süßkartoffel waschen, schälen und grob raspeln. Walnusshälften grob hacken.

3. Süßkartoffel mit Senf, Walnüssen, Petersilie und 1 EL Olivenöl mischen. Eine Auflaufform mit dem restlichen Olivenöl einfetten. Den Fisch in die Auflaufform legen. Darauf die Süßkartoffelmischung verteilen.

4. Den Fisch im vorgeheizten Backofen bzw. bei 175 °C (Umluft) auf der oberen Schiene ca. 15–20 Minuten backen.

5. Währenddessen die Papayasauce zubereiten. Dafür die Papaya halbieren, Kerne entfernen und das Fruchtfleisch mit einem Messer von der Schale lösen.

6. Ingwer mit Schale fein reiben und mit 200 ml Wasser aufkochen. Leicht köchelnd das Wasser um die Hälfte reduzieren. Papaya mit Essig und eingekochtem Ingwerwasser pürieren und nach Belieben würzen. Die gehackten Kräuter hinzufügen und alles mindestens 10 Minuten ziehen lassen.

7. Das Kabeljaufilet mit Süßkartoffelhaube zusammen mit der Papayasauce servieren.

TIPP Dazu passt auch Blattsalat oder gedünstetes Gemüse.

RÄUCHERFORELLE MIT AVOCADOSAUCE

1 Die Avocado halbieren und den Kern entfernen. Das Fruchtfleisch aus der Schale lösen und in grobe Würfel schneiden. Die Zitrone auspressen.

2 Schnittlauch waschen, trocken schütteln und in feine Ringe schneiden. Avocado mit Zitronensaft, Mineralwasser, Kurkuma und Senf in einen Mixer geben und kräftig mixen.

3 Die Sauce mit Salz und Pfeffer abschmecken und die Schnittlauchröllchen darunter mischen. Die Forellenfilets auf zwei Teller anrichten und mit der Avocadosauce servieren.

FÜR 2 PERSONEN

1 reife Avocado
½ Zitrone
½ Bund Schnittlauch
100 ml Mineralwasser
½ TL Kurkumapulver
½ TL scharfer Senf
Salz, schwarzer Pfeffer
2 geräucherte Forellenfilets

Zubereitungszeit: ca. 10 Min.

TIPP Dazu passt sehr gut Spargelgemüse oder Rote-Bete-Salat (siehe Seite 78).

WISSENSWERTES ZU OMEGA-3-FETTSÄUREN

Als besonders entzündungshemmendes Lebensmittel wird häufig »Lachs« genannt, denn er liefert reichlich langkettige Omega-3-Fettsäuren, die Eicosapentaensäure (EPA) und Docosahexaensäure (DHA), die nachweislich entzündungshemmend wirken. Außerdem verbessern diese Fettsäuren die Fließeigenschaft des Blutes und können Herzerkrankungen vorbeugen. Aber diese Wirkung hat nicht nur allein der Lachs, sondern viele andere Seefische wie Hering, Thunfisch, Makrele oder Kabeljau liefern ebenfalls beachtliche Mengen dieser wertvollen Fettsäuren. Aber nicht nur Omega-3-Fettsäuren sind bei Seefisch hervorzuheben, sondern auch der Gehalt an Selen. Selen wirkt antioxidativ und unterstützt das Immunsystem.

DORADE AUF QUINOA-WILDREIS-GEMÜSE

FÜR 2 PERSONEN

40 g Wildreis
100 g Erbsen, tiefgefroren
40 g Quinoa
450 ml Gemüsebrühe
1 rote Zwiebel
2 Knoblauchzehen
1 Stangensellerie
1 rote Chilischote
1 rote Paprika
1 Limette
2 große Doradenfilets (à 120-140 g)
Salz
3 EL Kokosöl
1 EL Currypulver
1 TL Kurkumapulver
schwarzer Pfeffer

Zubereitungszeit: ca. 45 Min.

1. Wildreis in ein Sieb geben und mit kaltem Wasser abbrausen. In einen Topf mit ca. 400 ml Wasser geben, aufkochen und 10 Minuten bei mittlerer Hitze köcheln lassen. 5 Minuten vor Ende der Garzeit die Erbsen dazugeben. Überschüssiges Wasser danach vorsichtig abgießen.

2. Quinoa in ein Sieb geben und ebenfalls mit kaltem Wasser abbrausen. Quinoa mit 150 ml Gemüsebrühe in einen Topf geben, aufkochen und bei mittlerer Hitze ca. 15 Minuten bei geschlossenem Deckel köcheln lassen.

3. Zwiebel und Knoblauch abziehen und sehr fein würfeln. Stangensellerie waschen, putzen, das Selleriegrün beiseite legen und den Sellerie in feine Ringe schneiden. Chilischote waschen, entkernen und in feine Ringe schneiden. Paprika waschen, putzen und in Würfel schneiden. Limette auspressen und den Saft auffangen. Das zurückbehaltene Selleriegrün fein hacken.

4. Doradenfilets unter fließendem kaltem Wasser abspülen, trocken tupfen, leicht salzen und mit dem Limettensaft beträufeln. 1 EL Kokosöl in einem Topf erhitzen. Zwiebel, Knoblauch und Staudensellerie darin andünsten. Curry und Kurkuma darüber streuen und kurz mitgaren. Mit der restlichen Gemüsebrühe aufgießen, Chili und Paprika dazugeben und ca. 2 Minuten garen. Anschließend Wildreis mit Erbsen und Quinoa unterrühren. Mit Salz und Pfeffer kräftig würzen, warm halten.

5. In einer weiteren Pfanne das restliche Kokosöl erhitzen. Fischfilets darin mit der Hautseite nach unten 3–4 Minuten braten. Dann wenden und weitere 1–2 Minuten braten. Quinoa-Wildreis-Gemüse auf zwei Teller verteilen, die Doradenfilets darauf legen und mit dem Selleriegrün bestreut servieren.

SEELACHS-FISCH-CURRY

FÜR 2 PERSONEN

1 Knoblauchzehe
1 Stück Bio-Ingwer (ca. 2 cm)
1 Chilischote
1 Limette
etwas Senfpulver
2 Seelachsfilets (ca. 300 g)
1 kleine Zucchini
2 Karotten
1 EL Kokosöl
2 TL Kurkumapulver
2 TL Currypulver
200 ml Gemüsebrühe
100 ml Kokosmilch
Salz, Pfeffer
4–6 Korianderblätter

Zubereitungszeit: ca. 40 Min.

1 Knoblauch abziehen und fein würfeln. Ingwer waschen und mit der Schale fein reiben. Chilischote waschen, entkernen und in feine Ringe schneiden.

2 Limette waschen und die Schale zur Hälfte abreiben, dann die Limette auspressen. Limettensaft mit der Hälfte der Chilischote, der Hälfte des Ingwers und dem Senfpulver zu einer Marinade vermengen.

3 Fischfilets waschen, trocken tupfen und in mundgerechte Stücke schneiden. Die Marinade darunter mischen und die Fischwürfel 10 Minuten darin ziehen lassen.

4 Zucchini waschen und in Würfel schneiden. Karotten waschen, grob schaben und in feine Ringe schneiden.

5 In einem Topf das Kokosöl erhitzen. Knoblauch mit Zucchini und Karotten darin andünsten. Kurkuma und Curry dazugeben und mit der Gemüsebrühe aufgießen. Bei mittlerer Hitze ca. 15 Minuten garen.

6 Die Kokosmilch zugeben, mit Salz und Pfeffer abschmecken und die marinierten Fischwürfel in das Curry geben. Bei kleiner Hitze ca. 5–8 Minuten ziehen lassen. Koriander waschen, trocken schütteln und fein hacken. Das Fisch-Curry auf zwei Teller verteilen und mit Koriander garnieren.

TIPP Dazu passen Reis oder Kartoffeln sehr gut. Anstelle von Seelachs kann man das Fischcurry auch gut mit Lachs zubereiten.

GARNELENSPIESS AUF BROKKOLIMUS

FÜR 2 PERSONEN

- 300 g Brokkoli
- 3 EL Olivenöl
- 100 ml Gemüsebrühe
- Salz, Pfeffer und Muskat
- 3 EL Sahne
- 150 g Garnelen, tiefgefroren
- 3 Korianderzweige
- 1 Limette
- 1 Knoblauchzehe
- 2 Holzspieße

Zubereitungszeit: ca. 35 Min.

1 Brokkoli putzen, waschen und in kleine Röschen teilen. In einem Topf 1 EL Olivenöl erhitzen und die Brokkoliröschen kurz darin andünsten. Gemüsebrühe angießen und das Gemüse 10 Minuten dünsten. Mit Salz, Pfeffer und Muskat abschmecken.

2 Sahne dazugeben und alles mit einem Pürierstab cremig mixen. Das Mus sollte schön sämig werden, evtl. noch Sahne zugeben.

3 Garnelen kurz in kochendes Wasser geben, damit sie gut aufgetaut sind. Koriander waschen, trocken schütteln, die Blätter abzupfen und grob hacken.

4 Limette waschen, trocken reiben und halbieren. Die eine Hälfte der Limette in Viertel schneiden, die andere Hälfte auspressen. Knoblauch abziehen und durch eine Knoblauchpresse in ein kleines Schälchen pressen. Mit 1 EL Olivenöl, Limettensaft, Salz und Pfeffer verrühren.

5 Aufgetaute Garnelen auf Holzspieße stecken und mit der Olivenöl-Knoblauch-Marinade bestreichen. In einer Pfanne das restliche Olivenöl erhitzen und darin die Garnelen ca. 5 Minuten rundherum braten. Die restliche Marinade zugeben.

6 Die Garnelenspieße mit dem Brokkolimus auf zwei Tellern anrichten und mit den Limettenschnitzen und dem gehackten Koriander garnieren.

TIPP Angebratener Lachs, Kabeljau oder Tofu (als Filet oder wie hier aufgespießt) passen ebenfalls sehr gut zum Brokkolimus.

ZUCCHINI-LACHS-TATAR MIT OFENKARTOFFELN

FÜR 2 PERSONEN

500 g Kartoffeln
2 Stängel Rosmarin
2 Stängel Thymian
1 Knoblauchzehe
3 EL Olivenöl
1 TL Kurkumapulver
1 TL Paprikapulver
30 g rote Linsen
300 g Zucchini
2 Schalotten
60 g Räucherlachs
1 Limette
Salz, Pfeffer

Zubereitungszeit: ca. 35 Min.

1 Den Backofen auf 220 °C (Ober-/Unterhitze) vorheizen. Kartoffeln waschen, schälen und in 2 cm dicke Scheiben schneiden.

2 Rosmarin und Thymian mit kaltem Wasser abbrausen, trocken schütteln, die Blättchen bzw. Nadeln abzupfen und etwas klein hacken.

3 Knoblauch abziehen und mit einer Knoblauchpresse in eine Schüssel drücken. Kräuter und Olivenöl dazugeben und alles mit einem kleinen Schneebesen oder einer Gabel gut aufschlagen. Mit Salz und Pfeffer würzen.

4 Die Kartoffelscheiben in der Marinade wenden und in einer Auflaufform oder einem höheren Backblech verteilen. Kurkuma und Paprikapulver mischen und über die Kartoffeln streuen. Im vorgeheizten Backofen (bei Umluft 200 °C) ca. 20 Minuten backen.

5 In der Zwischenzeit die Linsen in ein Haarsieb geben und mit kaltem Wasser abbrausen. Anschließend in einem Topf mit wenig Wasser ca. 10 Minuten kochen. Zucchini waschen, putzen und in feine Würfel schneiden. Mit etwas Salz bestreuen.

6 Schalotten abziehen und fein würfeln. Den Räucherlachs in feine Würfel schneiden. Limette auspressen und den Saft auffangen. Die gegarten Linsen abtropfen lassen, mit Zucchini, Schalotten und Lachs mischen. Mit Limettensaft, Pfeffer und Salz würzen. Das Zucchini-Lachs-Tatar auf zwei Tellern anrichten und mit den Ofenkartoffeln servieren.

LACHSFILET IM CHINAKOHLMANTEL

FÜR 2 PERSONEN

2 Lachsfilets (je ca. 200 g)
1 Limone
3 Dillzweige
Salz, Pfeffer
8 Chinakohlblätter
1 Karotte
2 Stangen Bleichsellerie
1 kleine Zucchini
3 EL Olivenöl
200 ml Gemüsebrühe

Zubereitungszeit: ca. 30 Min.

1 Lachsfilets unter kaltem Wasser abbrausen. Mit Küchenpapier trocken tupfen. Limone auspressen und den Lachs beträufeln.

2 Den Backofen auf 200 °C (Ober-/Unterhitze) vorheizen. Dillzweige waschen, trocken schütteln und die Spitzen abzupfen. Den Lachs mit Salz, Pfeffer und Dill bestreuen.

3 Chinakohlblätter waschen, putzen und in kochendem Salzwasser 1 Minute blanchieren. Karotte waschen, schälen und grob raspeln. Selleriestangen waschen und putzen. Das Selleriegrün beiseite legen, die Stangen in feine Ringe schneiden. Zucchini waschen, putzen und in feine Würfel schneiden.

4 Das Gemüse in einer Schüssel mit Olivenöl, Salz und Pfeffer mischen. Das Gemüse in zwei Portionen teilen und in jeweils 2 Chinakohlblätter einwickeln. Ebenso werden die Lachsfilets in je 2 Chinakohlblätter eingewickelt.

5 Eine Auflaufform mit Olivenöl einfetten. Die Lachs- und Gemüsepäckchen abwechselnd hinein setzen. Die Gemüsebrühe dazugießen und im vorgeheizten Backofen (175 °C bei Umluft) ca. 15 Minuten garen.

HAUPTSPEISEN VEGETARISCH

KÜRBISCURRY MIT KARTOFFELN

FÜR 2 PERSONEN

400 g Hokkaidokürbis
2 große festkochende Kartoffeln
4 Tomaten
1 rote Zwiebel
1 Knoblauchzehe
1 Stück Bio-Ingwer (ca. 2 cm)
1 rote Chilischote
1 EL Kokosöl
1 TL Kurkumapulver
½ TL Paprikapulver
Salz, schwarzer Pfeffer
200 ml Gemüsebrühe
4 Stiele Koriander
50 g Sahne

Zubereitungszeit: 40 Min.

1 Kürbis waschen, halbieren, Kerne und Fasern entfernen und das Fruchtfleisch in 2–3 cm große Würfel schneiden. Kartoffeln waschen, schälen und ebenfalls in Würfel schneiden.

2 Tomaten waschen, Stielansätze entfernen und in große Würfel schneiden. Zwiebel und Knoblauch abziehen und in feine Würfel schneiden. Ingwer waschen und mit der Schale fein raspeln. Chilischote waschen, entkernen und in feine Ringe schneiden.

3 Kokosöl in einem Topf erhitzen. Zwiebel, Knoblauch und Ingwer darin bei mittlerer Hitze unter Rühren 3 Minuten braten. Chili und Kartoffeln dazugeben. 2 Minuten mitbraten.

4 Anschließend Kürbis, zwei Drittel der Tomaten sowie Kurkuma und Paprikapulver untermischen. Das Gemüse mit Salz und Pfeffer würzen, mit der Gemüsebrühe aufgießen und alles bei schwacher Hitze 15 Minuten garen, bis die Kartoffeln weich sind.

5 Korinander waschen, trocken schütteln, die Blätter abzupfen und grob hacken. Das Gemüse nach Belieben mit Salz und Pfeffer abschmecken und die übrigen Tomaten daruntermischen. Das Gemüse vor dem Servieren mit der Sahne verfeinern und mit dem Koriander bestreuen.

GEMÜSEAUFLAUF MIT FETA

FÜR 2 PERSONEN

- 1 rote Zwiebel
- 1 Knoblauchzehe
- 2 Karotten
- 150 g Blumenkohl
- 150 g Brokkoli
- 3 Stangensellerie
- 4 Cocktailtomaten
- 200 g Feta
- ½ Bund Petersilie
- 2 Thymianzweige
- 80 g Pinienkerne
- 3 EL Olivenöl
- 200 ml Gemüsebrühe
- Salz, schwarzer Pfeffer

Zubereitungszeit: 50 Min.

1. Den Backofen auf 200 °C (Ober-/Unterhitze) vorheizen. Zwiebel und Knoblauch abziehen und fein würfeln.

2. Karotten waschen, putzen und in Würfel schneiden. Blumenkohl und Brokkoli putzen, waschen und in kleine Röschen teilen. Stangensellerie waschen, putzen und in feine Ringe schneiden.

3. Cocktailtomaten waschen, halbieren und beiseite stellen. Feta grob zerkrümeln. Petersilie waschen, trocken schütteln und grob hacken. Thymianzweige waschen, die Blättchen abzupfen und zusammen mit der Petersilie und den Pinienkernen in ein höheres Gefäß geben. Mit einem Pürierstab zu einer körnigen Masse mixen.

4. In einem heißen Topf 2 EL Olivenöl erhitzen. Zwiebel und Knoblauch kurz darin andünsten. Karotten und Blumenkohl zugeben und etwa 2 Minuten anbraten, dann mit Gemüsebrühe aufgießen und 5 Minuten bei mittlerer Hitze köcheln lassen. Danach Brokkoli und Sellerie zugeben und weitere 5 Minuten köcheln lassen. Mit Salz und Pfeffer würzen.

5. Das gegarte Gemüse in eine Auflaufform geben, den Feta darunter mischen und die Pinienkern-Kräuter-Mischung über dem Gemüse verteilen. Das restliche Olivenöl darüber träufeln.

6. Den Gemüseauflauf im vorgeheizten Backofen bzw. bei 180 °C Umluft 20 Minuten backen. Vor dem Servieren mit den halbierten Cocktailtomaten garnieren.

KNUSPRIGER FETA MIT BROKKOLI UND SPINAT

FÜR 2 PERSONEN

200 g Feta
300 g Brokkoli
125 g frischer Spinat
1 rote Zwiebel
6 Cocktailtomaten
1 EL Pinienkerne
1 EL Olivenöl
150 ml Gemüsebrühe
Salz, Pfeffer, Muskat
50 g Sahne
50 g Mandelmehl
1 TL Thymian, getrocknet
2 EL Kokosöl

Zubereitungszeit: ca. 30 Min.

1 Feta in vier gleich große Stücke schneiden. Brokkoli waschen und in Röschen teilen. Spinat waschen, abtropfen lassen. Zwiebel abziehen und würfeln. Tomaten waschen und halbieren. Pinienkerne in einer heißen Pfanne ohne Fett rösten, bis sie leicht bräunen. Beiseite stellen.

2 In einem Topf oder einer höheren Pfanne das Olivenöl erhitzen. Die Zwiebel darin 1–2 Minuten braten. Anschließend den Brokkoli dazugeben und mit Gemüsebrühe aufgießen. Alles zum Kochen bringen und bei mittlerer Hitze ca. 5 Minuten köcheln lassen.

3 Blattspinat darunter mischen und weitere 5 Minuten köcheln lassen. Das Gemüse mit Salz, Pfeffer und Muskat nach Belieben abschmecken. Kurz vor dem Servieren die Sahne unterrühren.

4 Mandelmehl mit getrocknetem Thymian mischen. Feta in der Mandelmehl-Thymian-Mischung wälzen und etwas andrücken. In einer Pfanne das Kokosöl erhitzen und darin die ummantelten Fetastücke je Seite 2–3 Minuten braten.

5 Die gebratenen Fetastücke mit dem Brokkoli-Spinat-Gemüse auf zwei Tellern anrichten und mit Pinienkernen und Cocktailtomaten garnieren.

WISSENSWERTES ZU SPINAT

Wussten Sie, dass Spinat nicht nur reich an Folsäure und Eisen ist, sondern auch besonders viele Antioxidanzien enthält, die die Körperzellen vor schädlichen Umwelteinflüssen schützen können? Spinat liefert auch sekundäre Pflanzenstoffe, wie z. B. Flavonoide. Sie können entzündungshemmend wirken und vor Krebserkrankungen schützen.

ROSENKOHL-TOFU-CURRY

FÜR 2 PERSONEN

1 EL Sonnenblumenkerne
200 g Tofu, natur
1 EL Kokosöl
1 große Süßkartoffel
1 rote Zwiebel
2 Knoblauchzehen
1 Stück Bio-Ingwer (ca. 2 cm)
½ rote Chilischote
1 EL Olivenöl
1 EL Currypulver
1 TL Kurkumapulver
200 ml Gemüsebrühe
Salz, schwarzer Pfeffer
400 g Rosenkohl, tiefgefroren

Zubereitungszeit: ca. 40 Min.

1 Die Sonnenblumenkerne in einer heißen Pfanne ohne Fett anrösten, bis sie leicht Farbe annehmen. Auf einen Teller geben und beiseite stellen.

2 Den Tofu in Würfel schneiden. In der heißen Pfanne das Kokosöl erhitzen. Tofuwürfel darin scharf anbraten und beiseite stellen.

3 Süßkartoffel waschen, schälen und grob würfeln. Zwiebel und Knoblauch abziehen und fein würfeln. Ingwer waschen und mit Schale in feine Würfel schneiden. Chilischote waschen, entkernen und in feine Ringe schneiden.

4 In einem Topf oder Wok das Olivenöl erhitzen. Zwiebel, Knoblauch und Ingwer mit Curry und Kurkuma 1–2 Minuten anbraten. Süßkartoffel zugeben, umrühren und mit der Gemüsebrühe aufgießen. Bei geschlossenem Deckel ca. 10 Minuten köcheln lassen.

5 Anschließend die Süßkartoffeln mit einem Pürierstab mixen, bei Bedarf etwas Wasser zugeben. Die Süßkartoffeln mit Salz und Pfeffer würzen. Rosenkohl und Chiliringe dazugeben. Bei mittlerer Hitze weitere 10 Minuten köcheln lassen.

6 Den gebratenen Tofu untermischen. Das Rosenkohl-Curry vor dem Servieren mit den Sonnenblumenkernen bestreuen.

WISSENSWERTES ZU KNOBLAUCH

Knoblauch ist DAS Gewürz, das viele Gerichte bereichert. Er hat viele gute Eigenschaften. So kurbelt er den Stoffwechsel an, desinfiziert den Darm und soll die Entstehung von Krebszellen hemmen.

Gegen den Knoblauchgeruch hilft das Kauen von Kräutern, wie z. B. Petersilie, Salbei oder Pfefferminze.

GEFÜLLTER KOHLRABI MIT BUCHWEIZEN

FÜR 2 PERSONEN

- 80 g Buchweizen
- 2 große Kohlrabi
- 100 g Blattspinat
- 1 rote Zwiebel
- 1 Knoblauchzehe
- 6 Cocktailtomaten
- 100 g Feta
- 10 Basilikumblätter
- 2 EL Olivenöl
- Salz, schwarzer Pfeffer
- 250 ml Gemüsebrühe

Zubereitungszeit: ca. 30 Min. plus 40 Min. Backzeit

1. Buchweizen in ein Haarsieb geben und mit kaltem Wasser abbrausen. Buchweizen mit der doppelten Menge kaltem Wasser in einen Topf geben. Bei starker Hitze den Buchweizen zum Kochen bringen. Bei kleinster Hitze mit geschlossenem Deckel ca. 15 Minuten ausquellen lassen. Während der Garzeit nicht umrühren.

2. Den Backofen auf 180 °C vorheizen (Ober-/Unterhitze). Kohlrabi schälen und das Blattgrün beiseite legen. Das obere Viertel der Kohlrabi abschneiden, dann die Kohlrabiknolle aushöhlen. Es sollte rundherum ein 1 cm dicker Rand stehen bleiben. Das entnommene Fruchtfleisch und den abgeschnittenen Deckel in kleine Würfel schneiden.

3. Spinat waschen und ggf. putzen. Zwiebel und Knoblauch abziehen und fein würfeln. Tomaten waschen und halbieren. Feta in kleine Würfel schneiden. Basilikum waschen und trocken tupfen.

4. Olivenöl erhitzen. Zwiebel, Knoblauch und 2 EL Kohlrabiwürfel ca. 2–3 Minuten darin dünsten, Salz und Pfeffer würzen. Spinat dazugeben und zusammenfallen lassen. Pfanne von der Kochstelle nehmen und etwas auskühlen lassen. Anschließend den Spinat mit Buchweizen vermengen und erneut kräftig mit Salz und Pfeffer würzen. Die Hälfte des Fetas dazugeben. Die ausgehöhlten Kohlrabi damit füllen.

5. Kohlrabigrün klein schneiden. Zusammen mit den restlichen Kohlrabiwürfeln und Tomaten mischen. In eine Auflaufform geben und mit der Brühe aufgießen. Die gefüllten Kohlrabi daraufsetzen. Wenn noch Füllung übrig ist, diese mit in die Auflaufform geben. Das Ganze mit dem restlichen Feta bestreuen und im vorgeheizten Ofen bzw. 160 °C bei Umluft ca. 40 Minuten überbacken. Vor dem Servieren mit dem Basilikum garnieren.

BROKKOLIPUFFER MIT KRÄUTERN

FÜR 2 PERSONEN

- 500 g Brokkoli
- Salz
- 1 Knoblauchzehe
- 2 Eier
- 50 g Haferflocken
- ½ TL Thymian, getrocknet
- ½ TL Rosmarin, getrocknet
- ½ TL Majoran, getrocknet
- Pfeffer, Muskatnuss
- 2 EL Kokosöl

Zubereitungszeit: 25 Min.

1 Brokkoli waschen und in Röschen teilen. Strunk schälen und würfeln. Röschen und Strunk in kochendem Salzwasser 5 Minuten garen. Abgießen, mit kaltem Wasser abschrecken und abtropfen lassen.

2 Knoblauch abziehen und durch eine Knoblauchpresse drücken. Zusammen mit dem Brokkoli in eine Schüssel geben. Den Brokkoli mit einem Kartoffelstampfer zerdrücken.

3 Eier, Haferflocken und Kräuter dazu geben, gut mischen und mit Salz, Pfeffer und Muskat abschmecken. Aus der Masse 6 Puffer formen.

4 In einer Pfanne 1 EL Kokosöl erhitzen und darin die erste Hälfte der Puffer je Seite 2 Minuten braten. Anschließend den zweiten EL Kokosöl in die Pfanne geben und die restlichen Puffer ausbraten.

TIPP Die Brokkolipuffer passen besonders gut zu grünen Blattsalaten, Räucherlachs oder Avocadomus mit gehackten Walnusskernen.

WISSENSWERTES ZU KRÄUTERN

Rosmarin, Thymian, Dill und viele andere Küchenkräuter bergen einen Schatz an wertvollen Inhaltsstoffen und wirken entzündungshemmend. Auch Majoran und Oregano stehen dem nicht nach. So enthält Majoran neben Gerbstoffen, Bitterstoffen und Harzen vor allem auch ätherische Öle wie Thymol und Carvacrol, die ein leistungsfähiges Antiseptikum sind. Bereits im alten Ägypten wurde deshalb Majoran als Konservierungsmittel sehr geschätzt. Oregano zeichnet sich ebenfalls durch seinen hohen Gehalt an ätherischen Ölen aus. Es wirkt lindernd bei Beschwerden des Verdauungstraktes (Magen, Darm, Leber, Galle). Vor allem wirkt es jedoch im Mund und Rachen entzündungshemmend.

OFEN-ZUCCHINI MIT AUBERGINENPÜREE

FÜR 2 PERSONEN

2 Zucchini
2 Auberginen
Salz, Pfeffer
6 EL Olivenöl
1 EL Chiliflocken
2 Knoblauchzehen
¼ Bund Petersilie
½ TL Zimt, gemahlen
½ TL Kreuzkümmel, gemahlen
½ TL Chilipulver

Zubereitungszeit: ca. 30 Min.

1 Den Backofen auf 200 °C (Ober-/Unterhitze) vorheizen. Zucchini waschen, putzen und in 1 cm dicke Scheiben schneiden.

2 Auberginen waschen, schälen und das Fruchtfleisch würfeln. Auberginenwürfel und Zucchini separat, aber auf das gleiche Backblech verteilen. Mit Salz und Pfeffer würzen und mit dem Olivenöl beträufeln. Die Zucchini zusätzlich mit Chiliflocken bestreuen.

3 Das Blech in den vorgeheizten Backofen schieben (bei Umluft 180 °C einstellen) und das Gemüse in etwa 15–20 Minuten garen, bis es weich ist.

4 Knoblauch abziehen und fein würfeln. Die Petersilie waschen, trocken schütteln und fein hacken.

5 Die gegarten Auberginenwürfel mit dem restlichen Olivenöl, Zimt, Kreuzkümmel, Knoblauch und Chilipulver in einen Mixer geben und grob pürieren. Anschließend die gehackte Petersilie darunter mischen. Die Backofen-Zucchini mit dem Auberginenpüree auf zwei Tellern anrichten und servieren.

TOFU-CHAMPIGNON-SPIESSE AUF RUKOLA

FÜR 2 PERSONEN

200 g Räuchertofu
2 Zweige Rosmarin
100 g Champignons
1 kleine rote Zwiebel
1 Knoblauchzehe
1 rote Paprika
1 gelbe Paprika
100 g Rukola
4 Cocktailtomaten
3 EL Olivenöl
Salz, Pfeffer
50 ml Gemüsebrühe
1 EL Schwarzkümmelöl
1 EL Balsamico-Essig
½ TL Senf
außerdem:
Schaschlikspieße

Zubereitungszeit: ca. 20 Min.

1 Den Räuchertofu in größere Würfel schneiden. Rosmarin waschen und trocken schütteln. Champignons putzen, große Exemplare halbieren, kleinere ganz lassen.

2 Zwiebel abziehen und grob in Spalten schneiden. Knoblauchzehe abziehen und fein würfeln.

3 Rote und gelbe Paprika waschen, putzen und in größere Stücke schneiden. Rukola waschen und trocken schütteln. Tomaten waschen und halbieren.

4 In einer Pfanne 2 EL Olivenöl erhitzen. Tofu, Rosmarinzweige und Knoblauch darin ca. 3–4 Minuten scharf anbraten. Den Tofu aus der Pfanne nehmen.

5 Tofuwürfel abwechselnd mit Paprika, Zwiebel und Champignons auf Holzspieße stecken. Mit Salz und Pfeffer würzen.

6 Anschließend in der Pfanne, in der der Tofu gebraten wurde, das restliche Olivenöl erhitzen und die Spieße in 5–8 Minuten rundherum kräftig anbraten.

7 Aus Gemüsebrühe, Schwarzkümmelöl, Essig, Senf, Salz und Pfeffer ein Dressing zubereiten. Rukola mit dem Dressing mischen und auf zwei Teller verteilen. Die Schaschlik-Spieße darauf geben und mit den Cocktailtomaten garnieren.

TIPP Alternativ können Sie auch eine fruchtige Salatsauce zubereiten. Dafür 50 g pürierte Papaya, 2 EL Apfelessig und 4 EL Olivenöl gut vermischen und nach Belieben mit Salz und Pfeffer abschmecken.

AUSTERNPILZE MIT WURZELGEMÜSE

FÜR 2 PERSONEN

300 g Austernpilze
100 g Pastinaken
100 g Schwarzwurzeln
1 Karotte
🍎 1 rote Zwiebel
🍎 1 Knoblauchzehe
🍎 1 Stück Bio-Ingwer (ca. 1 cm)
🍎 ½ Bund Schnittlauch
🍎 2 EL Olivenöl
🍎 ½ TL Kurkumapulver
½ TL Currypulver
200 ml Gemüsebrühe
Salz, schwarzer Pfeffer
🍎 1 TL italienische Kräutermischung, getrocknet
50 ml Kokosmilch

Zubereitungszeit: ca. 35 Min.

1. Austernpilze putzen und in etwas breitere Streifen schneiden. Pastinaken, Schwarzwurzeln und Karotte schälen, putzen und in längliche Stifte schneiden.

2. Zwiebel und Knoblauch abziehen und sehr fein würfeln. Ingwer mit der Schale fein schneiden oder reiben. Schnittlauch waschen, trocken schütteln und in feine Ringe schneiden.

3. In einem Topf oder einer höheren Pfanne das Olivenöl erhitzen und Zwiebel, Knoblauch und Ingwer darin kurz anbraten.

4. Die Austernpilze dazugeben und 2 Minuten kräftig anbraten. Pastinaken, Schwarzwurzeln und Karotte hinzufügen und mit Kurkuma und Curry bestäuben. Mit der Gemüsebrühe aufgießen, alles zum Kochen bringen und bei geringer Hitze 10 Minuten köcheln lassen.

5. Mit Salz, Pfeffer und der italienischen Kräutermischung würzen und abschmecken. Die Kokosmilch unterrühren und 2 Minuten köcheln lassen. Vor dem Servieren mit den Schnittlauchröllchen bestreuen.

SÜSSKARTOFFEL-ROTE-BETE-GRATIN

FÜR 2 PERSONEN

- 1 EL Pinienkerne
- 1 EL Sonnenblumenkerne
- 2 Zweige Majoran
- 2 Zweige Oregano
- 2 große Süßkartoffeln
- 4 Knollen Rote Beten, gegart
- Salz, Pfeffer
- 5 EL Olivenöl
- 200 g Ziegenfrischkäse

Zubereitungszeit: ca. 25 Min. plus 20 Min. Backzeit

1 Den Backofen vorheizen auf 200 °C (Ober-/Unterhitze). In einer heißen Pfanne ohne Fett Pinienkerne und Sonnenblumenkerne rösten, bis sie leicht Farbe annehmen. Aus der Pfanne nehmen.

2 Majoran und Oregano waschen, trocken schütteln, die Blättchen abzupfen und hacken. Süßkartoffeln waschen, schälen und in dünne Scheiben hobeln. Rote Beten in dünne Scheiben schneiden.

3 Eine Auflaufform mit 1 EL Olivenöl einfetten. Süßkartoffelscheiben und Rote-Bete-Scheiben abwechselnd wie Dachziegel in die Auflaufform geben. Mit 3 EL Olivenöl beträufeln. Mit Salz und Pfeffer würzen. Im vorgeheizten Backofen bzw. bei 180 °C (Umluft) ca. 15 Minuten garen.

4 Ziegenfrischkäse mit dem restlichen Olivenöl und der Hälfte der gehackten Kräuter gut vermischen. Nach 15 Minuten die Frischkäsemischung auf den vorgebackenen Süßkartoffeln-Rote-Bete-Scheiben verteilen, mit gerösteten Pinien- und Sonnenblumenkernen bestreuen und weitere 5 Minuten im Backofen garen.

5 Das Gemüsegratin auf zwei Tellern anrichten und mit den restlichen gehackten Kräutern bestreut servieren.

TIPP Majoran und Oregano können auch getrocknet verwendet werden. Dann nehmen Sie je 1 TL Majoran und Oregano.

DESSERTS

GEBRATENE APRIKOSEN MIT PINIEN UND SESAM

1 Die Aprikosen waschen, entsteinen und vierteln. Das Mark der Vanilleschote mit einem kleinen Messer auskratzen.

2 Pinienkerne und Sesam in einer heißen Pfanne ohne Fett kurz anrösten. Aus der Pfanne nehmen und mit Zimt mischen.

3 In der Pfanne das Kokosöl erhitzen und die Aprikosen mit dem Mark der Vanilleschote im heißen Kokosöl kurz anbraten.

4 Aprikosen auf zwei Teller verteilen und mit der Pinienkern-Sesam-Zimt-Mischung bestreuen.

FÜR 2 PERSONEN

6 reife Aprikosen
1 Vanilleschote
1 EL Pinienkerne
1 EL Sesamsamen
½ TL Zimt
1 EL Kokosöl

Zubereitungszeit: ca. 10 Min.

TIPP Statt mit Aprikosen schmeckt das Dessert auch mit Bananen sehr gut. Dafür die Bananen schälen und längs halbieren. Im heißen Kokosöl von beiden Seiten kurz anbraten und mit der Pinienkern-Sesam-Mischung bestreuen.

WISSENSWERTES ZU APRIKOSEN

Aprikosen sind bekannt als »Sonnenschutz von innen«, denn ihr hoher Beta-Carotin-Gehalt schützt die Haut vor UV-Strahlen, fördert die Zellerneuerung der Haut und hält sie von innen feucht.

Darüber hinaus enthalten frische sowie auch getrocknete Aprikosen größere Mengen an Salicylsäure, die entzündungshemmend wirkt und Krankheitskeime in Magen und Darm bekämpft.

APFEL-HAFER-CRUMBLE MIT NÜSSEN

1 Den Backofen auf 180 °C (Ober-/Unterhitze) vorheizen. Die Zitrone auspressen. Die Äpfel waschen, schälen, vierteln, das Kernhaus entfernen und das Fruchtfleisch in feine Spalten schneiden. Sofort mit Zitronensaft beträufeln.

2 Eine Auflaufform mit etwas Butter einfetten und die Apfelspalten hineingeben. Walnüsse und Pinienkerne grob hacken.

3 Die Vanilleschote längs halbieren und das Mark auskratzen. Vanillemark, Zimt, Haferflocken, gehackte Nüsse und Kerne mit Butter und Salz zu Streuseln verkneten.

4 Die Streusel über die Apfelspalten geben und den Crumble im vorgeheizten Ofen bei Umluft 150 °C etwa 20–30 Minuten backen.

FÜR 2 PERSONEN

½ Bio-Zitrone
2 säuerliche Äpfel (z. B. Boskoop)
Butter zum Einfetten
8 Walnusshälften
1 EL Pinienkerne
1 Vanilleschote
½ TL Zimt
60 g kernige Haferflocken
30 g Butter
eine Prise Salz

Zubereitungszeit: ca. 20 Min.
plus 20 - 30 Min. Backzeit

WISSENSWERTES ZU HAFER UND APFEL

»An apple a day, keeps the doctor away« – dieser Spruch kommt nicht von ungefähr, denn der Apfel entpuppt sich beim näheren Betrachten als ein wahres »Superfood«. Sein hoher Gehalt an Ballaststoffen, Flavonoiden, Polyphenolen und Vitaminen und Mineralstoffen kann bei regelmäßigem Verzehr das Immunsystem stärken, Herz-Kreislauf-Erkrankungen und Übersäuerung vorbeugen und Entzündungen lindern.

Hafer ist nicht nur eine wertvolle Ballaststoffquelle, sondern er ist auch bekannt für seine Vielfalt an Vitaminen und Mineralstoffen. Insbesondere Magnesium, Eisen, Silizium und B-Vitamine sind zu nennen, die sich vor allem positiv auf die Knorpelregenerierung und Nährstoffversorgung des Muskelgewebes auswirken.

SCHOKO-APFELRINGE

FÜR 2 PERSONEN

- 1 Apfel
- 8 Walnusshälften
- 80 g Zartbitterschokolade
- ½ EL Kokosöl

Zubereitungszeit mit Trocknen: ca. 20 Min.

1 Den Apfel waschen, das Kerngehäuse ausstechen und das Fruchtfleisch mit der Schale in Ringe schneiden.

2 Die Walnüsse möglichst fein hacken. Die Schokolade zerkleinern und im Wasserbad langsam schmelzen lassen.

3 Das Kokosöl und die Walnüsse einrühren. Anschließend die Apfelringe nacheinander in die Schokolade eintunken und auf einen Gitterrost legen, bis die Schokolade nicht mehr tropft.

BEEREN-RICOTTA-CREME

FÜR 2 PERSONEN

- 300 g gemischte Beeren, frisch oder tiefgekühlt (z. B. Heidel-, Him- oder Erdbeeren)
- 1 Vanilleschote
- 4 Blätter Zitronenmelisse
- 2 EL Pinienkerne
- 200 g Ricotta
- ½ TL Zimt

Zubereitungszeit: ca. 15 Min.

1 Frische Beeren vorsichtig waschen. Wenn gefrorene Beeren verwendet werden, diese kurz antauen lassen. Die Vanilleschote längs aufschneiden und das Vanillemark herauskratzen.

2 Zitronenmelisse waschen und trocken schütteln. Pinienkerne in einer Pfanne ohne Fett leicht anrösten, 1 EL davon beiseite legen.

3 Die restlichen Pinienkerne zusammen mit den Beeren, Ricotta, Zimt und Vanillemark in einen Mixer geben und alle Zutaten pürieren.

4 Die Creme auf zwei Gläser verteilen und mit den zurückbehaltenen Pinienkernen bestreuen. Das Dessert mit Zitronenmelisse garniert servieren.

KOKOS-MANGO-EIS

FÜR 2 PERSONEN

1 reife, weiche Mango
1 Stück Bio-Ingwer (ca. 1 cm)
100 ml Kokosmilch
¼ TL Chilipulver
1–2 EL Kokosraspel
4–6 Zitronenmelisse-blättchen

Zubereitungszeit: ca. 20 Min.

1 Die Mango schälen, das Fruchtfleisch vom Stein lösen und in kleine Würfel schneiden. Die Fruchtwürfel etwa 10 Minuten einfrieren.

2 Ingwer waschen und ungeschält fein reiben. Zusammen mit der Kokosmilch und dem Chilipulver kurz aufkochen und dann vollständig abkühlen lassen.

3 Die angefrorenen Mangowürfel mit der abgekühlten Kokosmilch in einen Mixer geben und alles kräftig pürieren. Mangoeis in zwei Gläser füllen und bis zum Servieren gut kühlen. Kurz vor dem Servieren mit den Kokosraspeln und den Zitronenmelisseblättchen garnieren.

BROWNIES MIT SÜSSKARTOFFELN

FÜR CA. 15 STÜCK

6 Datteln, entsteint
300 g Süßkartoffeln
20 Walnusskernhälften
2 EL Pinienkerne
1 EL Mandelblättchen
1 Vanilleschote
30 g Kokosöl
30 g rohes Kakaopulver
½ TL Zimt
Salz
4 Eier
Kakaopulver zum Bestreuen
außerdem:
Backpapier
ein etwas höheres Backblech (Brownieform)

Zubereitungszeit:
ca. 40 Min.
plus 45 Min. Backzeit
plus Einweichzeit über Nacht

1. Die Datteln über Nacht einweichen. Am nächsten Tag die Süßkartoffeln waschen, schälen und grob würfeln. In einen Topf geben und mit Wasser bedecken, zum Kochen bringen und bei mittlerer Hitze ca. 15 Minuten köcheln lassen. Anschließend das überschüssige Wasser abgießen und die Süßkartoffeln abtropfen lassen.

2. Das Einweichwasser der Datteln abgießen, Datteln abtropfen lassen und grob zerkleinern. Walnüsse und Pinienkerne in einen Mixer geben und zu Mehl vermahlen.

3. Die Mandelblättchen in einer heißen Pfanne ohne Öl kurz anrösten. Den Backofen auf 180 °C (Ober-/Unterhitze) vorheizen. Die Backform mit Backpapier auslegen.

4. Die Vanilleschote längs einritzen und das Vanillemark auskratzen.

5. Das Kokosöl in einem Topf erwärmen, bis es flüssig ist. Süßkartoffel, Vanillemark, Kakaopulver und Datteln in einen hohen Mixbecher geben und kräftig pürieren. Anschließend die Süßkartoffel-Dattel-Masse mit Zimt und Salz würzen.

6. Die Eier schaumig schlagen und zusammen mit dem Kokosöl und dem Walnuss-Pinienkern-Mehl unter die Süßkartoffel-Dattel-Mischung rühren. Den Teig in die Backform füllen, glatt streichen und im vorgeheizten Backofen (170 °C bei Umluft) ca. 45 Minuten backen.

7. Den Kuchen aus dem Backofen nehmen und etwas auskühlen lassen. Später mit Kakaopulver bestäuben und den Mandelblättchen bestreuen. Vor dem Servieren in 15 gleich große Stücke schneiden.

SACHREGISTER

Amylase-Trypsin-Inhibitoren (ATI) 27
Anlaufschmerz 13
Antioxidanzien 41, 46, 74, 76, 109
Arachidonsäure 30f., 37, 43, 46, 53
Arthritis 6, 8, 11, 14f., 21, 36f., 40, 47, 50, 76
Arthrose 6, 10f., 13f., 15, 39f., 42f., 44, 49, 53
Autoimmunerkrankung, -prozesse 11, 13, 21

Bauchfett, viszerales 49f., 51, 53
Bauchumfang (Messung) 50
Botenstoffe (Zytokine) 19, 22f., 26, 43, 46f., 64

Darm, -bakterien, -flora 13, 15, 19, 23, 25f., 27f., 34, 37, 41f., 45f., 48f., 53, 110, 112, 119

Entzündung, akut 10
Entzündung, chronisch 10, 43
Entzündungshemmender auf einen Blick 46
Entzündungshemmende Vitalstoffe 40

Fasten 31, 52f.
Fettsäuren, entzündungsfördernd 30
entzündungshemmend 29
freie Radikale 37f., 39, 41f.

Gicht, -arthritis 16
Glutathion 36f.
Gluten 28, 47

Insulin, -resistenz 25, 27, 32

Kollagen 34f., 36, 39, 42

Leaky-Gut-Syndrom 15, 48

Medikamente 7, 38, 47f.
Morgensteife 15

Polyarthritis, chronisch 14

Rauchen 8, 38
Rheuma 6, 11, 37, 50, 53, 76
rheumatischer Formenkreis 11

Schlaf 22, 56

Transfettsäuren 32

Übergewicht 8, 10, 14, 16, 25, 48, 50f.
Übersäuerung 34, 121

Viszerales Bauchfett (siehe Bauchfett)
Vitalstoffräuber 38

Waist-to-Height-Ratio (Messung) 51
Weizen 27f.

Zytokine (siehe Botenstoffe)

REZEPTREGISTER

Anti-Entzündungs-Gewürz 45
Apfel-Hafer-Crumble mit Nüssen 121
Aprikosen mit Pinien und Sesam, Gebratene 119
Austernpilze mit Wurzelgemüse 116
Avocado-Carpaccio mit Kresse-Salsa 74

Beeren-Müsli-Drink 62
Beerenmüsli aus dem Vorrat, Frisches 58
Beeren-Ricotta-Creme 122
Blattsalate mit Ziegenkäse 81
Brokkolipuffer mit Kräutern 112
Brownies mit Süßkartoffeln 125
Brühe, selbst gemachte, für gesunde Gelenke 35
Buchweizenbrei mit Mango 61

Chiliöl, Entzündungshemmendes 44

Dattel-Lachs-Creme mit frischem Dill 73
Dorade auf Quinoa-Wildreis-Gemüse 100

Erdbeerjoghurt mit Walnüssen 67

Fenchel-Lachs-Suppe, Aromatische 88
Fenchelsalat mit Nüssen und Kernen 69

Feta mit Brokkoli und Spinat, Knuspriger 109

Garnelenpfanne, Asiatische 96
Garnelenspieß auf Brokkolimus 102
Gemüseauflauf mit Feta 108
Gemüse-Fischsuppe, Asiatische 84
Gewürzmilch mit Chili, Heiße 64
Grünkohleintopf mit Tofu 85
Grünkohlsuppe mit Süßkartoffeln 82

Hafer-Porridge mit Granatapfel 66

Kabeljaufilet mit Süßkartoffel-haube 97
Karotten-Aprikosen-Suppe mit Sprossen 93
Karotten-Chili-Suppe, Scharfe 89
Kohlrabi mit Buchweizen, Gefüllter 111
Kokos-Mango-Eis 123
Kräuter-Suppe mit Pinienkernen 90
Kürbiscurry mit Kartoffeln 107
Kürbis-Linsen-Salat auf Rukolabett 75

Lachsfilet im Chinakohlmantel 105
Lauchsuppe mit Knoblauch-Croûtons 94
Linsen an Schwarzkümmel-Dressing 76
Linsenaufstrich mit Süßkartoffeln 71

Müsli, Ballaststoffreiches Grundrezept 58

Ofen-Zucchini mit Auberginen-püree 114

Quinoasalat mit Roter Bete, Fruchtiger 68

Pilzsalat mit Croûtons, Lauwarmer 79
Power-Fit-Müsli, Buntes 59

Räucherforelle mit Avocadosauce 99
Rosenkohl-Tofu-Curry 110
Rote-Bete-Kokos-Suppe 87
Rote-Bete-Salat mit Apfel und Nüssen 78

Schoko-Apfelringe 122
Seelachs-Fisch-Curry 101
Shiitakepilze auf Löwenzahnsalat 80
Süßkartoffel-Rote-Bete-Gratin 118

Tofu-Champignon-Spieße auf Rukola 115

Weißkrautsalat mit Apfel und Nüssen 72

Ziegenfrischkäse mit Hirse und Himbeeren 63
Zucchini-Lachs-Tatar mit Ofenkartoffeln 104

WEITERE BÜCHER BEI KÖNIGSFURT-URANIA:

SANFT VORBEUGEN UND NATÜRLICH LINDERN

Fast unglaublich, aber wahr – Arteriosklerose, Alzheimer, Diabetes, Gelenkschmerzen, chronische Darmentzündungen oder Allergien haben zwar viele Gründe, eine Ursache können sie jedoch gemeinsam haben: Silent Inflammation – heimliche Entzündungen. Lernen Sie die Lebensmittel mit besonders starker entzündungshemmender Wirkung kennen und genießen Sie die köstlichen Rezepte.

Silvia Bürkle
Heimliche Entzündungen
Mit der richtigen Ernährung sanft vorbeugen und lindern
ISBN 978-3-86826-151-6

Silvia Bürkle
Das Anti-Entzündungs-Kochbuch
Entzündungen vorbeugen und lindern
ISBN 978-3-86826-168-4